UIBHIST A DEAS

Beagan mu eachdraidh is mu bheul-aithris an eilein

Dòmhnall Iain MacDhòmhnaill

**Na dealbhan
le
Anndra MacMhoirein**

Do Shona 's do Dhòmhnall Iain beag, an dùil 's an dòchas gu leugh
iad a' Ghàidhlig 's an leabhar seo uaireigin fhathast

CLAR-INNSE

Taobh-duilleig

Roimh-ràdh 5
A' Bhliadhna Uibhisteach 6
1 Iomradh goirid air eachdraidh an eilein 7
2 Na Fuadaichean 14
3 Dòigh-beatha agus teachd-an-tìr 18
4 Gnìomhachas agus cur seachad ùine 27
5 Beul-aithris
    Clann 'ic Ailein 32
    Clann 'ic Mhuirich 39
    A' Mhaighdean-mhara 43
    Na Sìthichean 44
    Taibhsean is manaidhean 45
6 A-measg nam Bodach 49
7 A' Crìochnachadh 58
    Appendix 1:   Dòmhnallaich Chlann Raghnaill 61
    Appendix 2:   Aireamh sluagh Uibhist a Deas
                         bho 1801 gu 1971 64

Roimh-ràdh

Ann an toiseach tòiseachaidh, bu mhath leam dèanamh soilleir dha'n leughadair nach ann mar eachdraidh air Uibhist a Deas a bu chòir an leabhar seo a ghabhail idir. Gun teagamh, tha roinn de dh'eachdraidh ann, ach tha cuid dhe'n eachdraidh sin air a tarraing bho bheul-aithris. Far a bheil eachdraidh anns a' cheud chaibideil air a toirt bho leabhraichean eile, tha e air innse, ach feumar briathran Nighean Mhór Chorodail a ghabhail mar bheul-aithris a-mhàin. Feumar cuideachd aideachadh gu bheil na briathran aice-se agus an eachdraidh sgrìobhte a' tighinn gu math dlùth air a chéile — 'se sin mar a bha fearann nan eileanan a' sìneadh a-mach dha'n iar (air a réir-se co-dhiùbh) cho fada ri Heisgeir.

Tha eachdraidh nam fuadaichean an Uibhist air a h-innse ceart mar a thachair i, agus chì duine tuilleadh mu dheidhinn a' chuspair sin ann an leabhraichean eile. Chan eil an leabhar seo a' toirt seachad ach, mar gum bitheadh, geàrr-chunntas air eachdraidh an eilein. Mar eisimpleir, anns a' cheud chaibideil, far a bheil sgaradh nan Eileanan an Iar bho thìr-mór air fhoillseachadh, chì an leughadair cunntas nas coimhlionta na seo anns an leabhar aig W H Murray, *The Islands of Western Scotland.*

Mar sin, 'se geàrr-chunntas a-mhàin air eachdraidh, dòigh-beatha (an diugh 's an dé), beul-aithris is àbhachdas an eilein a gheibhear an seo. Dhleasadh gach cuspair dhiubh leabhar leis fhéin, ach tha mi'n dòchas gun tug mi dha'n leughadair dealbh shoilleir, ged nach ann buileach coimhlionta, air Uibhist an dé 's an diugh.

'S cinnteach gun do dh'fhàg mi iomadh tachartas cudthromach gun iomradh a thoirt air, ach gabhaibh mo leisgeul an sin, a thaobh 's nach e fear-eachdraidh cothromach a th'annam.

Tha atharrachaidhean móra air tighinn air Uibhist 'nam linn fhìn, agus sin gu ìre mhór mar thoradh air stéidheachadh stèisean nan rocaid air an eilean. Có aige a tha brath dé mar a bhios cor an eilein ri linn an ath ghinealaich. Ma bhios na h-atharrachaidhean cho mór 's a bha iad bho dheireadh a' chogaidh, chan e an aon eilean, mar a b'aithne dhomh-s' e, a bhios ann.

Dòmhnall Iain MacDhòmhnaill

A' Bhliadhna Uibhisteach
(leis an ùghdar)

Fonn ag ùrachadh còta,
Deise bheò-bhileach ùrar;
Sìol a' choirce 's an eòrna
Pailt a' pòsadh ri ùir ann.
Uain air bearraidh a' leumnaich,
Cuach a' gleusadh a ciùil ann —
Dealbh an eilein 'san earrach,
Bho Fhaoilleach greannach air dùsgadh.

Aileadh cùbhraidh thar luibhean
Air machair buidhe nam blàth-fhlùr;
Monmhar cagrach na tuinne
Gu binn a' sruthladh air tràigh ghil;
Soillse gréine a' lasadh
Leacan casa 'sna h-àirdean —
Dealbh an eilein 'san t-samhradh,
Clachag neamhnaid 'san fhàinne.

Diasan torrach a' crathadh,
Bàrr abaich a' luasgadh;
Raoide, dlòth agus adag
A' feitheamh dachaidh nan cruachan;
Feur a' gréidheadh air àilean,
Spréidh shàsaicht' air buaile —
Dealbh an eilein 'san fhoghar
An comunn othail na buana.

Fairg' a' bristeadh ri creagan,
Sruth troimh fheadain a' bùirich;
Fead na h-ioma-ghaothaich ghreannaich
Troimh gach bealach a' smùideadh;
Sad na mara ga shiabadh
Bho bharraibh sìor-gheal nam brùchd-thonn —
Dealbh an eilein 'sa gheamhradh
A' cath ri teanntachd nan dùilean.

1 Iomradh goirid air eachdraidh an eilein

Chan eil cunntasan eachdraidh no beul-aithris againn a tha a' dol cho fad' air ais ri ceudan mìle bliadhna — seadh, co-dhiùbh, cunntasan coimhlionta — air suidheachadh Uibhist agus nan Eileanan an Iar gu léir aig na h-amannan fad' air falbh sin. Na tha 'nar tairgse de sgrìobhaidhean roimh-eachdraidheil, chan eil annta uile ach beachdan nan sgrìobhadair-ean, agus tha gach beachd dhiubh sin, mar as trice, an aghaidh a chéile. Nuair a ghoid an Sasannach, Rìgh Eideard a h-Aon, seann phàipearan-eachdraidh Alba, chuir e as dhaibh, no chuir e teine riutha, gus a rathad fhéin a bhith na bu réidhe gus crùn Alba a bhuannachd. Ach faodaidh sinn a chreidsinn, agus tha luchd-eachdraidh ag innse dhuinn, gu robh na h-Eileanan an Iar ceangailte ri tìr-mór Alba anns na linntean fad as, agus a thuilleadh air a sin, gu robh iad ceangailte ri chéile agus a' sìneadh a-mach dha'n iar mìltean is mìltean nas fhaide na tha an cuid chòrsaichean an diugh. Nach fhaod sinn a chreidsinn gu robh am fearann a' sìneadh a mach dha'n iar seachad eileanan Hiort no eadhon cho fada ri Rockall, far a bheil doimhneachd na mara a' cromadh gu grad bho cheud aitheamh gu dà cheud, agus goirid seachad air a sin gu fìor dhoimhneachd dhubh a' Chuain an Iar.

Tha duan bheag againn bho bheul-aithris Uibhist a tha air leth ùidheil ann a bhith a' toirt seachad suidheachadh Uibhist, muir is tìr, aimsir is dòigh-beatha an àite — ach dé cho fada air ais chan eil cinnt againn. A thuilleadh air a sin, chan eil cinnt againn gu bheil na faclan fìor; ach tha an seanfhacal ag ràdh, "Far am bi smùid bidh teine."

'Se Nighean Mhór Chorodail a bha ag aithris na duain, agus innte bha i ag ràdh, "Nuair a bha mise 'nam mharcag mullaich, bha Heisgeir ceangailte ri Ei am Beinn-a-Bhaoghla agus ceangailte ri Uibhist a Deas agus a Tuath. Bha Uibhist a Deas ceangailte ri Barraidh agus Uibhist a Tuath ris Na Hearadh agus 'se a b'ainm dha'n eilean fhada seo Innis Cat. Dh'fhàgainn mo bhothan beag fo fhasgadh Creag nam Bràth ann a Heisgeir nuair a bhiodh uiseag dhonn riabhach Moire a' liubhairt a ciùil aig liathadh na maidne 's mharcaicheadh mi mo ghearran bàn 's ruiginn mo bhothan beag glas an Corodal nuair a bhiodh an damh donn ga thogail fhéin bho sheid, 's e a' crathadh dealt na h-oidhche far a chabraibh."*

---

*Faic *Carmina Gadelica*, an dàrna leabhar, t.d. 282-283.

Loch Sgioport

Mar a chuala mise i aig m'athair, bha an duan aig Nighean Mhór Chorodail a' crìochnachadh:

Nuair bu choille chnò an fhairge ghlas
'Sann a bha mise 'nam nighinn;
Bu bhiadh miamh maidne dhomh
Duileasg leac o Eigir is creamh a Sgòth,
Uisge Loch a' Cheann-dubhain
'S iasg an Ionnaire Mhóir —
B'e siud mo rogha beatha
Fhad 's a bhithinn beò.
Chuirinn mo naoi imirean lìonain
Ann an gleannan caomh Chorodail,
'S bheirinn mo chrioslachan chnò
As a' choille mhóir eadar dà Bhòrnais.

'Sann an Uibhist a Deas a tha gach àite a th'air ainmeachadh, is tha an rann a' toirt sealladh dhuinn air suidheachadh an eilein aig àm air choireigin fad' air ais ann an tìm, co-dhiùbh bha Nighean Mhór Chorodail ann no nach robh.

A' toirt beachd air an ainm *Uibhist*, shaoilinn gur e ainm an dàrna cuid Piocach no Lochlannach a th'ann. Faodaidh e bhith gur e *Vist* no *Ey-Vist* ("Eilean Vist") as ciall dha — 'se sin anns a' chànan Lochlannaich *ey*, "eilean", agus *Vist*, an Rìgh Piocach. Air an làimh eile, tha litreachadh deifireach air a dhèanamh air an fhacal ann an caochladh chunntasan, air chor 's gu bheil e duilich an diugh mìneachadh a thoirt a brìgh an fhacail mar as aithne dhuinn e.

Ach ged a tha ar gnothach an seo ri tachartasan a tha a' beantainn ri Uibhist a Deas, chan eil feum dhuinn a dhol cho fad' air ais ri linntean seilbh nan Lochlannach. Tha còrr is seachd ceud bliadhna bho'n a chaill na Tuathaich sin seilbh anns na h-eileanan, agus tha iomadh seòrsa fortain is mì-fhortain air fhighe ann an eachdraidh Uibhist bho'n uair sin.

Ach mum bean sinn ri eachdraidh Uibhist ann an linntean nas giorra dhuinn, bhitheadh e freagarrach leum a thoirt air ais ann an tìm chun an ama sin nuair a chaidh na h-eileanan seo a sgaradh bho thìr-mór Alba.* Leugh sinn cheana na briathran aig Nighean Mhór Chorodail mu'n fhearann a bha mach 'sa Chuan an Iar, agus tha cinnt againn gu robh sin mar a thubhairt i (mas i a thubhairt e!) Aig deireadh na linne Tertiaraich — tha sin eadar dà mhuillean is trì fichead muillean bliadhna air ais — bha fearann Alba fada na b'àirde na tha e an diugh, agus bha e a' sìneadh a mach dha'n iar seachad air Hiort cho fada 's a tha an *Continental Shelf* a' ruighinn. A thuilleadh air a sin, bha e mar aon ri dùthchannan Niribhidh 's na Suaine. Mu chóig muillean deug bliadhna air ais chaidh an talamh

*Faic *The Islands of Western Scotland* le W H Murray, (Lunnainn, 1973).

ìosal eadar Alba is Niribhidh a bhàthadh fo'n Chuan a Tuath. Aig an aon àm, bhàrc an Cuan an Iar a-stigh anns na h-ìosail a-measg bheanntan an taoibh an iar is chaidh an còmhnard far a bheil an Cuan Sgìth an diugh a bhàthadh fo uisgeachan na fairge sin. Ruith a' mhuir mar an ceudna a stigh dha na glinn dhomhain air taobh an iar thìr-móir agus bha Alba air a dealbhachadh mar a chì sinn air a' mhap an diugh — còrsa lochanach, le suas ri ceud eilean a-mach bho'n chòrsa sin. Bha na h-Eileanan an Iar, is Uibhist 'nam measg, air am breith.

Ach mar a thuirt mi aig toiseach a' chaibideil seo, chan eil cunntas-eachdraidh no beul-aithris coimhlionta gu leòr againn gus a bhith a' dol cho fìor fhad' air ais. Tha fios againn gun tàinig linn na deigh 'na dheaghaidh seo, nuair a bha Alba 's na h-eileanan fo'n deigh, le iomall na deighe a-mach cho fada ri eileanan Hiort. Air na h-eileanan seo bha an deigh cho tiugh ri mìle gu leth gu dà mhìle troigh, agus 'se Cliseam Na Hearadh an aon mhullach a bha am bàrr anns na h-eileanan. 'Sann mu ochd mìle bliadhna air ais a bha na h-eileanan cuidhteas a' chuid mu dheireadh dhe'n deigh.

Tha e soilleir cuideachd gun tàinig blàths mór an deaghaidh seo, agus gu robh na h-eileanan fo chraobhan de dh'iomadach seòrsa. Tha dearbhadh againn air a seo ann an sàga Lochlannach. Nuair a sheòl an treas Righ Mànus le feachd làidir a Niribhidh a cheannsachadh nan eileanan anns a' bhliadhna 1098, tha cunntasan a' toirt iomradh gu robh coille gu leòr ann agus gu robh eadhon craobhan-fìge a' fàs ann an Leódhas. Tha bàrd Lochlannach, Bjorn Kreppil-hendi, a' sgrìobhadh mar gum biodh e air bòrd bàta ag amharc an t-seallaidh uamhasaich sin — coille nan eileanan a' dol 'na teine. Tha e ag ràdh: "Bha an teine a' cluich feadh chraobhan-fìge Leódhais. Bha e a' streap suas gu nèamh. Chuireadh an teicheadh air an t-sluagh fada 's farsaing. Bha an teine a' brùchdadh a-mach as an cuid thighean. Chaidh an Rìgh còir leis an teine tarsainn Ivist" ('se sin Uibhist).*

Loisg Mànus coille nan eileanan gu beagnaich agus cha d'fhuair i cothrom fàs ceart as ùr tuilleadh mun do dh'fhàs an sluagh pailt agus an aimsir na bu mhiosa. Ma chanas luchd-turuis gu bheil Uibhist lom gun chraoibh an diugh, a thaing sin do Rìgh Mànus III.

Ach thàinig ceannas agus ùghdarras nan Lochlannach gu crìch aig blàr na Leirge anns a' bhliadhna 1263, agus trì bliadhna 'na dheaghaidh sin liubhair dùthaich Niribhidh suas na h-Eileanan an Iar do dh'Alba aig réite Pheairt.

'Na dheaghaidh seo gheibh sinn Uibhist a Deas ann an seilbh Chlann 'ic Ruairidh. Bidh e freagarrach beagan fhoillseachadh an seo mu'n uachdaranachd seo. Bha Iain, Tighearna nan Eilean, ann an seilbh air na h-eileanan a tuath agus Raghnall MacRuairidh air Uibhist is Barraidh.

*Faic *History of the Outer Hebrides* le W C MacKenzie (Pàislig, 1903; Dùn Eideann, 1974).

10

Caibeal Dhiarmaid, an t-Hoghmór

Ach nuair a chaidh Raghnall MacRuairidh a chur gu bàs le Iarla Rois anns a' bhliadhna 1346, cha robh oighre air, agus thuit còraichean a chuid fearainn air a phiuthar Aimi, a bha 'na mnaoi-phòsda aig Iain, Tighearna nan Eilean. Anns an dòigh seo thàinig Iain gu bhith ann an seilbh an Uibhist. Ach air réir eachdraidh, cho luath 's a fhuair Iain nan Eilean seilbh air oighreachdan na mnà, dhealaich e rithe, air chor 's gu faigheadh e Mairead, nighean Stiùbhart na h-Alba, a bha 'na dheaghaidh sin 'na Rìgh mar Raibeart II, a phòsadh.

Ach a dh'aindeoin seo 'se clann Aimi NicRuairidh, a' cheud bhean, a thàinig dligheach air Uibhist, agus air réir eachdraidh bha dithis dhiubh, Goraidh agus Raghnall, a' seilbh anns an eilean. Tha beul-aithris ag innse gur e Aimi NicRuairidh a thog Teampull na Trionaid an Càirinis, Caisteal Bhuirgh am Beinn-a-Bhaoghla agus manachain bheag ann an eilean Ghriomasaidh ris an canar Teampull Mhìcheil.

Bho Chlann Ruairidh dh'éirich uachdaranachd Chlann Raghnaill.* B'e Raghnall, mac Iain 'ic Aonghais Oig, a' cheud triath dhe'n teaghlach seo. Fhuair e seilbh air Uibhist cuide ri Arasaig, Mòrair, Cnòideart, Eige is Rùm anns a' bhliadhna 1372, agus bha Uibhist a Deas fo uachdaranachd nan Raghnallach bhuaithe sin gus an do chrìochnaich an ùghdarras anns a' bhliadhna 1841, nuair a chaidh an oighreachd a reic ris a' Chòirneal Ghòrdanach airson £163,799. Bha seo cuideachd a' toirt a-stigh Bheinn-a-Bhaoghla.

Roimh àm an Ath-leasachaidh anns a' bhliadhna 1560 bha Uibhist a Deas air a roinn 'na dhà pharaiste eaglaiseil, Cille Pheadair agus Hoghmór. Bha dà eaglais ann am paraiste Hoghmóir, eaglais Naomh Màiri agus eaglais Naomh Chaluim Cille. Tha làraichean an dà eaglais sin ri 'm faicinn gus an là an diugh, agus tha eadhon balla-cinn té dhiubh suas fhathast. Tha seann chladh Hoghmóir timcheall oirre, 's bha tiodh-laicidhean gan dèanamh an sin gus goirid roimh àm a' chogaidh mu dheireadh. Bha eaglaisean eile — no, mar a chante riutha, tighean-pobuill** — an Cill Amhlaidh, an Cille Bhànain agus an Aird Mhìcheil. Bha paraiste Hoghmóir a' ruith bho Bheinn-a-Bhaoghla gu taobh a tuath Loch Aoineirt 's a-mach gu Rubha Aird Mhìcheil air an taobh an iar.

A thuilleadh air an dà eaglais mhór a bhith an t-Hoghmór, tha e coltach gu robh colaisde foghluim ann ceart mar ann an Càirinis an Uibhist a Tuath, agus gu robh a' cholaisde 's na h-eaglaisean maille ri eaglais Chille Pheadair a' tighinn a-stigh fo ùghdarras I Chaluim Cille.

'Sann ann an seann chladh Hoghmóir a bha àite adhlacaidh teaghlach Chlann Raghnaill, am bad ris an canar Caibeal Chlann 'ic Ailein. Tha suaicheantas an teaghlaich ri fhaicinn air cloich anns a' chaibeal, ach gu

*Faic a' cheud *Appendix* aig deireadh an leabhair.

**'Se tighean-pobuill a chante ris na h-eaglaisean beaga ionadail. Bha seo roimh àm an Ath-leasachaidh.

mì-fhortanach tha a' chlach seo leagte ri làr, ged a tha an leómhann 's an làmh dhearg ri'm faicinn gu soilleir fhathast oirre.

Bha paraiste Chille Pheadair a' toirt a-stigh na sgìreachd sin a th'air a h-ainmeachadh mar *"Kandish"* (Ceann Deas), ceann a deas an eilein. Bha am paraiste a' sìneadh suas bho Loch Aoineart aig crìch paraiste Hoghmóir gu eilean Eirisgeidh, Lingeidh agus Orasaidh, agus a' toirt a-stigh mar an ceudna seann sgìreachd Bhaghasdail.

Bha an eaglais mhór ann an Cille Pheadair air taobh an iar an eilein, is bha na tighean-pobuill, no na h-eaglaisean beaga, an Cille Bhrìghde, an Cill Donnain, an Circeadal, taobh a deas Loch Aoineirt, agus aig Clachan a' Chumhaig.

Tha sgrìobhadair* anns an t-seachdamh linn deug ag innse gu robh seann daoine ag ràdh gun deach an t-eilean a dhroch mhilleadh le gainmheach is siaban air an taobh an iar, gun do lean a' mhuir a-stigh dha na cladaichean seo, gun deach bailtean beaga is eaglaisean Chille Mhachair mhóir agus Chille Phetil a mhilleadh 's a thiodhlaiceadh, is gu robh pìosan dhe na seann eaglaisean ri'm faicinn fhathast aig ìsle muir-tràigh reothairt. Chan eil fios an diugh càit an robh na h-eaglaisean a tha e ag ainmeachadh; ach 's fheudar gu robh iad fada mach air taobh an iar an eilein, far nach eil an diugh ach cuan is tràigh is sgeirean mara.

*Chan eil cinnt agam có an sgrìobhadair a tha seo. Tha mi ga chur sìos mar a thug mi e a leabhran beag, *Notes on South Uist*. Tha an leabhran fhéin gun urra.

2 Na Fuadaichean

B'e an ath thachartas bu chudthromaiche a thachair an eachdraidh an eilein, na fuadaichean. Tha eachdraidh nam fògraidhean neo-thròcaireach sin sgrìobhte mu thràth,uair is uair, agus tha a cuid fhéin dhe'n eachdraidh ghràineil seo aig Uibhist a Deas. Anns an ochdamh linn deug, nuair a bha gnìomhachas na ceilpe 'na seusar anns na h-eileanan, bha an sluagh, gu glé bheag, a' dèanamh beòshlaint cothromach gu leòr. 'Se fear de Chlann Raghnaill, Fear Bhaghasdail, a dh'inntrig do dh'Uibhist an dòigh air a' cheilp a dhèanamh, agus tha e air a chur as a leth gur h-esan mar an ceudna a dh'inntrig am buntàta 's cur a' bhuntàta dha'n eilean.

Ach ged a bha an sluagh cumanta a' dèanamh beòshlaint chuimseach air ceilp, b'iad na h-uachdarain aig an robh ceann a' bhior dhe'n mharaig. Aig àm Cogadh na Saorsa an Amaireagaidh — bha sin bho 1775 gu 1783 — bha prìs na ceilpe aig còrr is fichead not an tunna. Bha uachdaran Uibhist a Tuath aig an àm sin a' faotainn £14,000 'sa bhliadhna bho theachd-an-tìr ceilpe. Chan eil cunntas againn dé bha aig uachdaran Uibhist a Deas, ach chan eil an aon teagamh nach robh e pailt cho reamhar. Bha an sluagh aig an àm seo riatanach dha na h-uachdarain, agus ged a bha fuadaichean air a bhith ann bliadhnachan roimhe seo, bha àireamh sluagh Uibhist na bu motha na bha i aig àm eile 'na h-eachdraidh. Ach mu'n bhliadhna 1825 thàinig gnìomhachas na ceilpe gu crìch, agus anns a' bhliadhna 1835 ghais am buntàta. Bha gainne is gorta, chan ann an Uibhist a-mhàin, ach anns na h-eileanan air fad. Nì iongantach, ge-ta: tha cunntas againn gun do dh'at àireamh an t-sluaigh anns na h-eileanan gu leir anns a' bhliadhna 1841 gu 93,000, àireamh nach robh cho mór riamh roimhe no idir 'na dheaghaidh. Seo a' bhliadhna a chaidh Uibhist a Deas a cheannach leis a' Chòirneal Iain Gòrdanach.

Mar a thuirt mi roimhe seo, fhuair an Gòrdanach seilbh air eilean Bharraidh a bhàrr air Uibhist a Deas, agus bho nach deach leis Botany Bay eile a dhèanamh air Barraidh, ghabh e dòigh a bha pailt cho mì-thròcaireach. Le cuideachadh tiodhlaic-aiseig bho'n Riaghaltas, thug e a-stigh am bàt'-aiseig *Admiral* le maoir is bàillidhean is *press-gangs*, agus chaidh a' mhór-chuid de chroitearan an dà eilean a chruinneachadh suas agus a sgiùrsadh air bòrd. Chaidh móran de chroitearan Uibhist a cheangal le ròpa agus a thoirt mar sin gu Loch Baghasdal, an cuid mhnathan 's an clann a' caoineadh as an deaghaidh gan leantail. Dh'innis

Uamh a' Phrionnsa, an Corodal

am pàipear-naidheachd *Quebec Times* anns a' bhliadhna 1852 gun deach an sluagh mì-fhortanach sin a thilgeil air tìr air cladach Chanada 's gun deach am fàgail an sin a' dol bàs leis an acras.

Uile-gu-léir chaidh suas ri dà mhìle de shluagh Uibhist a Deas fhuadach anns an dòigh bhrùideil seo, agus na fhuair teicheadh dhiubh cha robh de dh'fhasgadh aca ach uaimhean aig oir a' chladaich far an robh iad beò air faochagan 's air bàirnich. Bha cuid mhath sluaigh a' còmhnaidh air taobh an ear an eilein 'sa Bheinn Mhóir, an gleann Chorodail, an Uisinis 's an t-Heireasdal, agus chaidh móran dhiubh sin a chur a dh'eilean Eirisgeidh, a bha air a chunntais ro fhosgailte 's ro chreagach gus stoc chaorach a ghiùlan. Fhuair a' chaora seilbh anns a' Bheinn Mhóir nuair a dh'fhalbh an tuath. Chunnaic mise le m'shùilean fhìn do-dhaonndachd Gestapo Hitler air sluagh bochd neo-chiontach, ach anns na chuala 's anns na leugh mi mu fhuadaichean na naoidheimh linn deug, cha robh Gestapo uachdarain nan eilean dad air dheireadh air na h-Eòrpaich.

Ach le Achd nan Croitearan anns a' bhliadhna 1886 fhuair croitearan Uibhist barrachd ùghdarrais ann an seilbh an cuid fearainn, ged a bha móran fearainn fhathast ann an làmhan nan tuathanach móra no nam fear-tac. Chaidh cuid dhe na tuathanachais seo a bhristeadh suas 'nan croitean roimh àm a' cheud chogaidh; mar eisimpleir, chaidh Peighinn nan Aoirean a stéidheachadh air croitearan anns a' bhliadhna 1907. Ach 'sann an deaghaidh a' chogaidh, nuair a thill na saighdearan 's luchd na mara air ais, a thòisich reudadh an fhearainn. Chaidh a' mhór-chuid de thacaichean Uibhist a Deas a ghearradh 'nan croitean an deaghaidh sin, 's chan eil air fhàgail an diugh dhiubh ach Gròigearraidh 's an Druim Mór a th'air an obrachadh anns na bliadhnachan seo le luchd-obrach uachdarain an eilein.

An deaghaidh cogadh Hitler thàinig atharrachadh, ann am barrachd is aon dòigh, air an eilean. Cha robh, thuige seo, móran obrach ann ach an fhactoraidh-feamainn am Baghasdal, beagan obrach air rathaidean móra, croitearachd is iasgach. Ach ri linn an t-Arm tighinn a-stigh an comh-cheangal ri obair nan rocaid anns na bliadhnachan an deaghaidh 1950, fhuair an t-eilean togail mhór an càs cosnaidh. Cha chan sinn idir gu bheil fuil ùr a' ruith an cuislean an eilein an diugh, a thaobh — taobh a-mach nan saighdearan — gur e sluagh dùthchasach an eilein fhéin a tha ag obair mu na stèiseanan seo. 'Sann bochd dha-rìribh a bhiodh suidheachadh an eilein an diugh nan robh stèisean nan rocaid air a dhùnadh, agus ged a bha móran an aghaidh a leithid a chur air bonn an Uibhist, tha móran an Uibhist an diugh a tha am beòshlaint an crochadh ri obair nan rocaid.

A' toirt sùil air ais a-rithist chun na naoidheimh linn deug: tha cunntasan àireamh an t-sluaigh anns an eilean aig an àm sin a' toirt fianais air na sgrìobh mi cheana mu fhuadaichean brùideil a' Chòirneil

16

Ghòrdanaich an Uibhist a Deas.

Anns a' bhliadhna 1775 bha àireamh sluagh Uibhist a Deas aig 2,200. Anns a' bhliadhna 1801 bha i aig 4,595*; ann an 1811 aig 4,825; ann an 1821 aig 6,038; ann an 1841 aig 7,327; agus ann an 1861 aig 5,346. Chì sinn leis na figearan mu dheireadh gun do thuit àireamh an t-sluaigh faisg air dà mhìle ceann ann an iomlaid fhichead bliadhna. Nuair a bha Hitler a' ruith thairis air dùthchannan beaga na h-Eòrpa, bha e ag ràdh gur e gnìomh tròcaireach a bha e a' dèanamh riutha ann a bhith gan dìon bho nàimhdean eile. Mar an ceudna, 'se crùn na tròcair a bha an Còirneal Gòrdanach a' giùlan ann a bhith a' lughdachadh cion obrach le bhith a' lughdachadh an t-sluaigh. Saoilidh mi gu robh inntinnean mortair mór nan Iùdhach agus a' Chòirneil chòir ag obrachadh car air an aon dòigh.

Ach mar a thuirt mi cheana, 'se Achd nan Croitearean a thug saorsa agus daingneachadh 'nan cuid fearainn do shluagh Uibhist, ach aig an àm 's a bheil seo ga sgrìobhadh, tha achd ùr ann a tha a' toirt cothrom dha'n chroitear a chroit fhéin a cheannach mas e sin a thoil. 'Na mo bheachd-sa b'e achd 1886 an rud a b'fheàrr a thàinig riamh air réir a' chroiteir, agus chan eil mi a' faicinn buannachd mhór sam bith na croitean a cheannach.

Cha bhi an daingneachadh a thugadh seachad ann an 1886 dad nas treise ri linn an croitear e fhéin a bhith 'na uachdaran air a chuid fearainn, beag no mór am fearann sin. 'S dòcha gur ann a bhios am barrachd mór cosgais mu cheann le bhith a' pàigheadh caochladh sheòrsa chìsean nach robh idir a' beantainn ris a' chroitear roimhe seo.

'Sann le beagan bhliadhnachan eile a chì sinn an e math no cron dha'n chroitear a thig mar thoradh air an achd ùr seo, nuair a théid croitean a cheannach, 's a ghabhas na croitearan àraid sin inbhe uachdarain dhaib' fhéin. Air mo shon-sa dheth, 'se theirinn gu bheil na croitean air an ceannach fichead fillte cheana; agus mas e 's gu faod na croitearan na croitean a ghabhail dhaib' fhéin as a' ghrunnd, gum bu choir gum biodh e comasach dhaibh seo a dhèanamh an asgaidh.*

3 Dòigh-beatha agus teachd-an-tìr

B'e croitearachd riamh an tighinn-beò ghnàthaichte a bh'aig sluagh Uibhist mar ionnan ris a' chòrr dhe na h-Eileanan an Iar. Ged a chreach an sluagh tuathanachas na mnà-uasail Gòrdan Cathcart* aig deireadh cogadh a' Cheusair, agus ged a thachair a leithid aig an aon àm ann an eileanan eile cuideachd, bha na h-uachdarain a' cumail a-mach nach gabhadh beòshlaint dèanamh air pìos fearainn a bhiodh na b'ìsle na £50 de mhàl. Bha an sluagh fhathast pailt, agus b'e poileasaidh nan uachdaran fhathast pàirt dhe na daoine a chur gu dùthchannan céine — Mac-Talla nan seann fhuadaichean a' seinn fhathast!

Ach cha robh ùidh aig an t-sluagh ann an dad dhe seo. B'e an argumaid-san gu robh talamh gu leòr ann, ach e bhith air a thoirt seachad dha na daoine. Anns a' bhliadhna 1912 shuidhicheadh Bòrd an Aiteachais an àite seann Bhòrd nan Sgìreachdan Dùmhlaichte no *Congested*, agus a' bhliadhna roimhe sin ghabh Cùirt an Fhearainn os làimh obair Choimisean nan Croitearan. Chuir bristeadh a-mach a' chogaidh stad air math sam bith a b'urrainn dhaibh a dhèanamh an ùine ghoirid, ach b'e stéidheachadh an dà bhuidhinn ùir sin bu phrìomh aobhar gun d'fhuair na daoine am fearann nuair a chreach iad e an deaghaidh a' chogaidh.

Ach shoirbhich gu math leis na croitearan. Cha robh na h-uachdarain a' faicinn le sùilean nan croitearan idir, ach bha e soilleir gu leòr dha'n chroitear gun dèanadh e beòshlaint chothromach le a làmh a chur ri obraichean eile taobh a-mach croitearachd. Bha freumhaichean muinntir Uibhist aig an àm an greim gu domhain anns an talamh, agus mar sin, ge b'e dé an obair a chuireadh iad làmh rithe b'e a' chroit an cnàimh-droma a bha a' cumail tigh is dachaidh riutha. Ged nach toireadh a' chroit leatha fhéin beòshlaint riaghailteach dhaibh, bha i 'na barantas agus na bonn-stéidh dha'm beatha, 's mura toireadh ise steach beòshlaint choimhlionta gheibht' an còrr le dòighean eile. Agus sin mar a thachair.

An diugh, tha croitearachd air a dhol air ais gu mór an Uibhist seach

---

*B'ise nighean a' Chòirneil Iain Gòrdanach agus 'si bu bhan-uachdaran air an eilean an deaghaidh a bhàis-san. 'Sann bho'n luchd-urrais aice-se a cheannaich Maighstir Hermann Andrea an t-eilean aig àm cogadh Hitler. 'Se an Còirneal Gregg a tha 'na fhear-stiùiridh air a' chompanaidh Grampian Holdings an Glaschu, a tha 'nan uachdarain air an eilean an diugh.

Bòrnais

mar a bha i aig toiseach na linn seo, ach 'se as aobhar dha sin gu bheil móran obrach a thuilleadh air fearann anns an eilean an diugh. Aig an àm ud cha robh ann ach beagan obair rathaid, agus iasgach. B'e iasgach a bh'air a' cheud dhuilleig aig na h-Uibhistich, gu h-àraid a' chuid sin dhiubh a bha a' còmhnaidh air taobh an ear an eilein. Dh'iasgaicheadh iad an taobh an iar fad mhìosan an t-samhraidh a' glacadh ghiomach. A thuilleadh air a sin bha sgadan is rionnach ga fhaotainn leis na lìn *drift*.

Bha a' mhór-chuid dhe seo a' dol 'na bhiadhadh anns na cléibh-ghiomach, ach cuid mhath cuideachd ga reic. Tha adhartas mór ann an iasgach nan giomach an Uibhist an diugh ri linn am margadh a bhith stéidhichte an eilean Ghriomasaidh, ach anns na seann làithean 'se marsantan ionadail a bha a' ceannach nan giomach, agus aig deireadh an t-seusain 's dòcha nach biodh an t-iasgair dad na b'fheàrr dheth na bha e aig a thoiseach. Mar bu trice 'se min is tì is siùcar is goireasan mar sin a gheibheadh an t-iasgair 'na phàigheadh, agus air a' chunntais dheireann-aich, mura biodh beagan airgid aige ri dhìoladh dha'n mharsanta, gu dearbh cha bhiodh sgillinn dligheach dha.

Cha robh reic nan giomach ri Billingsgate móran na bu phrobhaidiche. Glé thric, bhiodh dàrna leth an iomlain marbh a' ruighinn — b'e sin facal a' cheannaiche Lunnainnich co-dhiùbh — agus cha b'urrainn dha'n iasgair Uibhisteach dearbhadh a thoirt seachad air a chaochladh. Cha robh iasgach an sgadain an Uibhist riamh air an ìre aig an robh e am Barraidh, ach bha sgadan cho pailt ann an Loch Aoineart aig àm cogadh a' Cheusair 's gu robh e a' tràghadh anns a' chladach nuair a thigeadh muir-tràigh. Ach mar a thachras nuair a tha goireas sam bith pailt, cha robh móran ri fhaighinn air a shon, co-dhiùbh aig iasgairean Uibhist. Bha bàtaichean bho thìr-mór ga iasgach 's ga reic am Malaig, 's tha mi glé chinnteach gu robh iadsan a' faighinn fiach an saothrach air.

Cha b'urrainn dha'n iasgair Uibhisteach aig an àm a dhol a Mhalaig leis, am freasdal sgoth bheag nan cóig no sia troighean deug; 's a thuilleadh air a sin, cha robh guth air einnsean parabhain no diesel aig an àm. Cha robh ach an seòl 's na ràimh 's a' ghaoth a bhith fàbharach: gun sin, 'se cruaidh-shaothair a bh'anns an iasgach.

Ach cha robh 'san iasgach ach aon seòrs' obrach anns am feumadh an croitear làmh a chur. Bha buntàta is arbhar ri chur 'san earrach. Bha am blàr buntàta ri thodhar mar ionnan ris an achadh arbhair. Aig toiseach na ficheadaimh linn 'sann le saic chléibh — dà chliabh air beathach eich — a bhiodh an fheamainn ga giùlan chun an achaidh. 'Na dheaghaidh sin thàinig na cairtean agus an diugh na tractaran, ach tha an todhar an diugh a' tighinn ann am pocannan plastaig is chan eil an aon teagamh nach eil sin gu móran a bharrachd saorsa dha'n chroitear.

Bha cuideachd, mar aon de dh'obraichean bliadhnail a' chroiteir, am foghar ri thogail. Dh'adhartaich saothair na buana bho'n chorran, aig toiseach na linn, chun na speal agus bho'n speal chun a' bhaindeir. Am bithinn a' dol ro dhàna nan cuirinn air mhanadh, mun tig an ath adhartas 'san raon seo, nach bi móran cur no buana ga dhèanamh ann an Uibhist a Deas?

Ach mar a thuirt mi cheana, cha robh a h-uile croitear 'na iasgair idir, agus dh'fheumadh iad sin obair eile a thuilleadh air a' chroit. Aig toiseach na linn chì sinn gu leòr a' falbh a dh'iarraidh obair sheusanail a bhaile Ghlaschu, far an robh iad a' faotainn cosnaidh ann an gàrraidhean-iarainn Chluaidh air na bu lugha na not 'san t-seachdain. A-mach as an t-suim phrionnsail a bha seo, dh'fheumadh iad am faradh fhéin a phàigheadh, iad fhéin a chumail am biadh 's an aodach 's an cairtealan-còmhnaidh ann an cùl-shràidean salach Chluaidh — is a bharrachd air a sin bean is teaghlach a chumail an Uibhist. Ciamar a bha a' dol aca air sin a dhèanamh air an duais shuarach sin, cha ghabh e tuigsinn. Bha feadhainn eile a' faotainn obrach aig Corporation Ghlaschu an obair a' ghas. Bha seo a' ciallachadh fùirneis a chumail a' dol 's a' gabhail le gual ann an teas a bhiodh suas ri 100° Fahrenheit. Airson na saothrach ghoirt seo gheibheadh iad not is cóig tasdain 'san t-seachdain, suim a bh'air a meas riaghailteach gu leòr aig an àm. Ach an robh?

'San fhoghar agus 'san earrach thilleadh iad dhachaidh gu obair na croite, oir fhad 's a bha am buntàta 's an t-iasg 'san dachaidh, cha rachadh an teaghlach bàs. Nuair a chuimhnicheas sinn gun téid barrachd a chosg an diugh ann an aon tigh-seinnse an Uibhist 'san aon oidhche 's a choisneadh gach fear dhiubh siud fad am beatha, tuigidh sinn meud an eadar-dhealachaidh a tha eadar an dé 's an diugh.

Feumar a thuigsinn gu robh an t-eilean gu ìre bhig a' cumail beòshlaint chothromach ris an t-sluagh eadar iasgach agus na dh'fhàsadh iad as an talamh. Bha móran eòrna ga chur, agus sin a-mhàin gus min a chumail ris an dachaidh. Mus do thogadh na muilnean an Uibhist, bha gu glé bheag brà anns a h-uile tigh. Bha an t-inneal beag seo a' cumail fóghnachdainn an tighe de mhin a-stigh fad cunntais mhìosan dhe'n bhliadhna. Tric gu leòr, 'se a' mhin a thigeadh dhe'n cheud sguab eòrna a rachadh a bhuain 'san fhoghar tràth 'sa mhadainn a bha a' dèanamh a' bhrochain no a' bhonnaich an dearbh oidhche sin. Rachadh na diasan a dhealachadh gu cùramach bho na suip, 's a chur ann an soitheach freagarrach — tric gu leòr a' phoit a bhiodh a' bruich a' bhuntàta — gus an cruadhachadh. Bha an gràn cruadhaichte air a bhiadhadh a-stigh dha'n bhràthain is thuiteadh an gràn, air a phronnadh 'na mhin, a-mach air gach taobh dhith le dithis ga cur mun cuairt. Nuair a thòisich na muilnean 'se an aon dòigh a bh'air a h-ùisneachadh, ach air sgéile na bu mhotha, 's bha cruadhachadh a' ghràin air a dhèanamh air sùirn an àite na poite bige.

Tha cuimhn' agam fhìn m'athair a' cur gràn do mhuileann Mhingearraidh gus a bhleith. B'e duais a' mhuilleir an t-seachdamh peice deug gràin.

Bha a' cheud mhuileann ann an t-Hoghmór 's an ath fhear am

Seann Mhuileann

Mingearraidh, 's nuair a shuidhich an oighreachd ann iad cha robh iad a' faotainn de dh'obair na chumadh a' dol iad. Agus 'se b'aobhar dha seo gu robh brà anns gach dàrna tigh. Ach mar bhreab eile bho'n uachdaran dha'n tuath, chaidh an t-òrdugh a thoirt dha na maoir gach brà a bh'air an eilean a bhristeadh. Chaidh sin a dhèanamh, na maoir a' dol mun cuairt gach tigh a' bristeadh gach brà a gheibheadh iad, is b'fheudar dha'n t-sluagh tionndadh ris na muilnean an deaghaidh sin.

A-nis, tha sinn air dealbh fhaicinn air dòigh-beatha sluaigh aig deireadh na naoidheimh linn deug agus toiseach na té seo a tha a' riochdachadh cruaidh-chàs is éiginn do-thuigsinneach do ghinealach an là an diugh; ach a dh'aindeoin sin, bha toileachas is fallaineachd inntinn is bodhaig a-measg an t-sluaigh nach eil cho fìor nochdte idir 'nar latha-ne. Bha daoine air an obrachadh gu goirt—dh'fheumadh iad sin a dhèanamh gus iad fhéin a chumail beò. Cha robh uisge phìoban ann, ach uisge thobraichean agus glé thric uisge a tuill cladhaichte anns a' mhòintich. Cha robh am facal *hygiene* cho cudthromach 'nan cànan 's 'nan caitheamh-beatha 's a tha e an diugh. A dh'aindeoin sin, dh'àraich an t-eilean ceatharnaich — fireann is boireann — aig an àm nach fhaicear móran dhe'n seòrsa an diugh. Dé bu choireach, ann an teis-meadhon gorta is cruaidh-chàs, gu robh cùisean mar sin?

A-réir mo bhreithneachaidh fhìn dhe seo, shaoilinn gur e am beathachadh bu choireach ris, nuair a bha an sluagh an urra ri toradh na mara 's an fhearainn aca fhéin. A bhàrr air an iasg, bha an grùthan ga ithe agus air uairean bhathar a' dèanamh bonnach-grùthain leis. Bha seo mus do rinn luchd-ealdhain a-mach fìor mhathas ola nan trosg. Bha an t-iasg ùr bho'n dubhan aca, chan ann idir an deaghaidh a bhith cóig latha deug reòdhta ann an deigh ann an tuill bhàtaichean-sgrìobaidh. Bha an cuid mine fhéin aca, neo-mheasgaichte le stuthan fuadain; agus, rud nach fhaicear an diugh, bha pàisdean a' deoghal broilleach am màthraichean. Bha an sluagh ud beò air an lòn shìmplidh a bhuilich nàdur gu pailt air muir is tìr an eilein, 's bha iad ann an dlùth-chomunn, agus dh'fhàs iad suas air an toradh a bha an dà chuid sin a' toirt dhaibh. A thuilleadh air a sin, bha an dòigh-beatha a bha iad a' mealtainn saor bho bhruaillean 's bho bhreislich 's bho thrioblaid-inntinn sam bith.

Cha robh fìdeag na factoraidh no clag-dùsgaidh a' ghleoc gan cur 'nan cabhaig madainn no feasgar. Bha slighe am beatha a' ruith réidh, ciùin, neo-bhuaireasach, gun dad na b'iomagainiche a' cur eadar-dhealachadh eadar àm obrach is àm spòrs is tàimh is cadail na soilleireachd an latha agus dorchadas na h-oidhche.

Nì eile a bhiodh glé fhreagarrach ainmeachadh an seo, 'se gu robh cus dhe na daoine aig an àm sin a' leughadh Gàidhlig. Bha seo mar thoradh air sgoiltean Gàidhlig a chuireadh air bonn an Dùn Eideann aig toiseach na naoidheimh linn deug. Ràinig luchd-teagaisg na h-eileanan mar thoradh air an sgoil seo; agus eadhon ged a thàinig an deagh obair sin gu crìch, chum feadhainn a dh'ionnsaich anns an sgoil sin air càch a theagasg. Anns an t-seagh sin mhair luchd-leughaidh na Gàidhlig ann an linn ar seanairean gu math fada. B'e am Bìobull Gàidhlig bu trice a bha 'na leabhar-leughaidh, agus feumaidh mi aideachadh gu robh a' Ghàidhlig ann-san àraid domhain.

Ri linn teachd Achd an Fhoghluim ann an 1872, nuair a dh'fheumadh a' chlann uile a dhol dha'n sgoil, 'se dòigh-ionnsachaidh fuadain a bh'air a cleachdadh — 'se sin a bhith gan teagasg ann am Beurla. Do chloinn nach robh facal Beurla 'nan ceann, b'e àrd-mhullach na gòraiche a bha seo; a thaobh, mun tuigeadh aois nan cóig bliadhna dé bha am fear-teagaisg ag ràdh, bhiodh bliadhna no còrr seachad, bliadhna a dhìth 'na chuid ionnsachaidh, nuair a dh'fhaodadh e fàgail aig ceithir bliadhn' deug. 'Se adhartas mór a th'ann an sgoiltean Uibhist an diugh nuair a tha a' chlann òg air ùr dhol dha'n sgoil a' faighinn an teagasg gu léir ann an Gàidhlig — 'se sin a' chuid sin dhiubh aig a *bheil* Gàidhlig a' dol dha'n sgoil!

Tha suidheachadh na Gàidhlig ann an Uibhist a Deas an diugh a' sealltainn gu math gealltanach ma sheallas sinn air taobh nan sgoiltean dheth. Tha a' chlann òg a' faotainn an teagasg anns a' Ghàidhlig, agus a bharrachd air a sin tha leasain Ghàidhlig gan toirt dhaibh. Ach dé tha tachairt anns na dachaidhean? Cuiridh e smaointinn gu leòr orm nuair a chluinneas mi màthair a' bruidhinn ris a' chloinn, 'nan dachaidh fhéin, ann am Beurla. Cha dèan e am bonn beag as fhaoine de dh'fheum dé na théid a theagasg de Ghàidhlig dha'n chloinn sin anns an sgoil, nuair a tha am beagan Gàidhlig a fhuair iad bho'n luchd-teagaisg air a fàgail an taobh a-stigh de gheata an tigh-sgoile. Tha na sgoiltean a' cumail an taobh fhéin suas le an uile dhìcheall ach 'sann aig na pàrantan a tha a' chùis ri dèanamh 'na h-uile choimhlìontachd. Mura bruidhinn a' chlann a' Ghàidhlig 'nan dachaidhean fhéin, gu dearbh cha bhruidhinn iad i nuair a dh'fhàgas iad an tigh, agus ged a bhitheadh iad air an dìol Gàidhlig fhaotainn 'san sgoil, mura deach a' Ghàidhlig a chleachdadh 'san dachaidh, 'se glé bheag de thé na sgoile a chluinnear bho'm bilean. Ach chanainn seo: tha an ginealach òg a tha a' fàgail na sgoile an Uibhist an diugh gu math nas adhartaiche ann an leughadh is ann an sgrìobhadh na Gàidhlig na na ginealaichean a thàinig roimhe seo. Dé as coireach ris a sin? Tha gu bheil am barrachd Gàidhlig ga thoirt dhaibh 'san sgoil an diugh na bha anns na bliadhnachan a chaidh seachad. Chan urrainn dhuinn a bhreithneachadh carson nach robh Gàidhlig ga toirt dhaibh 'sna bliadhnachan sin, ach théid aig gille no nighean sam bith an diugh air *O-grade* fhaighinn an Gàidhlig ann an té no dhà de sgoiltean Uibhist.

Thug mi iomradh cheana air eaglaisean is paraistean Uibhist a Deas roimh àm an Ath-leasachaidh. Chan eil cunntas sam bith againn gun deach làmhachas-làidir a chleachdadh 'san eilean aig an àm gus an sluagh a thoirt a-stigh dha'n chrò Ath-leasaichte — dealaichte bho aon ionnsaigh le Cailean Bhaghasdail. Bha miseanaraidhean a' tighinn a dh'Alba as an Fhraing troimh Eirinn, gu h-àraid a' bhuidheann *Vincentians*, agus ràinig feadhainn dhiubh Uibhist is Barraidh. B'e am fear a b'iomraitiche dhiubh sin Maighstir Diarmad Duggan, 's tha àiteachan ainmichte air-san an Uibhist fhathast, mar a tha Caibeal Dhiarmaid ann an seann chladh Hoghmóir, far a bheil e tiodhlaicte.

Co-dhiùbh 'se oidhirpean leithid Dhiarmaid bu choireach chan eil cinnt againn, ach lean Uibhist a Deas ris a' chreideamh Chaitligeach, agus mar sin 'sann dhe'n chreud sin a tha a' mhór-chuid de shluagh an eilein gus an là an diugh.

Chì sinn connspaid is fuath eadar caochladh chreudan anns an là an diugh, agus sin gu h-àraid ann an dùthchannan gu math faisg oirnn; ach bha agus tha Uibhist a Deas 'na h-eisimpleir shoilleir air mar a ghabhas an dà chreud a chleachdadh taobh ri taobh, agus eadhon aig uairean a mheasgadh ri chéile. Théid na Caitligich dha'n eaglais Phròstanaich is théid na Pròstanaich dha'n eaglais Chaitligich ma bhios banais no tòrradh no cruinneachadh àraid sam bith ann. Chan eil an dàrna buidheann a' gabhail an turus beag as fhaoine ri dòigh adhraidh na buidhne eile 's cha chuala mi creideamh mar chuspair ga thoirt suas ann an argumaid theth riamh aig Caitligeach no aig Pròstanach. B'aithne dhomh sagairt, an àm fàgail pharaistean an Uibhist, a' faotainn an t-sìneadais bu motha bho Phròstanaich na bho chuid dhe'n t-sluagh aca fhéin. Nach b'e Pròstanach a rinn an cumha brèagha sin dha'n Athair Urramach Seòras Rigg nuair a dh'eug e an Dalabrog?

Thuirt Coinneach MacPhàdraig mu'n t-sagart:

A Rìgh! bu deas air altair thu,
Le pearsa bha gun sgòd,
Fo chulaidh 's iomadh dath innte
Toirt Flaitheanas 'nar còmh'r,
An sluagh a bha gad éisdeachd
Toirt adhradh dha'n Dia Mhór
'S an Iobairt Naomh ga tairgse suas
Airson nam marbh 's nam beò.

Nuair théid mi gu Cnoc Hàllain
'S a chì mi an t-àit' bheil d'ùir,
Gu saoil mi gura còir dhomh
Gun cluinn mi'n còmhradh ciùin
A b'àbhaist tighinn o d'bhilean-sa
Bha sileadh mar an driùchd —
Dha d'chaoraich thug thu ionaltradh
Le smior a' chruithnich ùir.

Saoilidh mi gum biodh an saoghal na bu shìtheile 's na b'fheàrr nam b'urrainn sluagh le beachdan eadar-dhealaichte, co-dhiùbh 'sann air creideamh no air poilitics, a bhith beò a-measg a chéile cho càirdeil, bàigheil agus riaghailteach ri sluagh Uibhist a Deas, Caitligeach agus Pròstanach.

4 Gnìomhachas agus cur seachad ùine

Chaidh oidhirp a dhèanamh o chionn còrr is fichead bliadhn' air ais gus gnìomhachas na figheadaireachd a chur air bonn an Uibhist. Bha muilnean anns an Iochdar agus ann an Loch Baghasdail, le deannan dhaoine a' fighe nan clòintean anns na muilnean fhéin agus cus a bharrachd a' fighe 'nan dachaidhean fhéin. Fad nam bliadhnachan a mhair an obair seo, bha cuid mhath de dh'òigridh an eilein an greim anns an fhigheadaireachd agus a' toirt a-stigh dheagh dhuaisean airson an cuid obrach. Mar eisimpleir, dh'fhigheadh duine mu dhà chlò gu leth 'san t-seachdain — an clò aig meudachd cheithir fichead slat 's mu ochd òirlich fhichead gu leth a leud — is choisneadh e seachd notaichean an clò. Ach bha gnìomhachas a' chlò aig fhìor àirde anns an deichead 1960-70, 's 'na dheaghaidh sin bha an obair a' dol sìos, gus mu dheireadh an deach na muilnean a dhùnadh. Tha oidhirpean a-nis gan dèanamh airson obair chlòintean ath-nuadhachadh ann an Uibhist, agus tha sinn dòchasach a thaobh nam bliadhnachan ri tighinn gun atharraich cùisean.

Ach móran nas motha luach do mhuinntir Uibhist na gnìomhachas a' chlò bha factoraidh na feamainn am Baghasdal. 'Se Alginate Industries Ltd a bh'air chùl seo, ach nuair a chaidh a' cheud fhactoraidh a chur suas am Baghasdal anns a' bhliadhna 1943, cha robh móran earbsa aig na croitearan as an oidhirp a thaobh mar a thachair anns na bliadhnachan air ais do dh'obair na ceilpe; ach, gu'm buannachd, chuir iad làmh anns an obair, agus bha deannan math a' dèanamh beòshlaint chothromach — an taice ri obair croite — anns an dearbh obair seo. A thuilleadh air luchd-obrach a bhith an greim 'san fhactoraidh, bha cuid mhath an sàs ann an gearradh na feamainn anns na cladaichean, far an robh i air a slaodadh 'na maoisean móra as deaghaidh sgotha gu ionad far an ruigeadh làraidh oirre. Bha iomadh fear-gearraidh a' toirt a-stigh ceithir 's a cóig a thunnachan 'san latha, ach feumar a thuigsinn nach gabhadh seo dèanamh ach aig tràghannan reothairt. Mar sin, cha robh am fear-gearraidh ris an obair ach mu chóig latha anns gach cóig là deug.

Tha e nàdurra gu leòr nach gabh an òigridh cumail 'san eilean mura bi obair ann dhaibh. Chan eil sin a' ciallachadh gum biodh e 'na dheagh phoileasaidh feuchainn ri'n cumail uile-gu-léir, a thaobh tha cus a bharrachd sluaigh cho dona ri tuilleadh is beagan sluaigh; ach bu chòir an suidheachadh a bhith ann am bith los gu fanadh a' chuid bu mhotha,

27

fireann is boireann, de dh'òigridh an eilein an tìr an àraich le barrachd gnìomhachais a bhith 'nan tairgse a thuilleadh air obair fearainn is iasgaich. Tha dearbhadh gu leòr againn ann an eachdraidh shean is nuadh gu ruig na h-eileanaich inbhe àrd ann an dreuchd no ceàird sam bith a thaghas iad, 's nam bitheadh a bheag no mhór de chothroman 'nan tairgse aig an dachaidhean — a' chuid a roghnaicheadh fuireach dhiubh — ghabhadh àireamh an t-sluaigh cumail suas seach a bhith a' dol nas lugha aig gach cunntas dheich bliadhna. Chunnaic sinn cheana gu robh àireamh an t-sluaigh an Uibhist a Deas aig còrr is 7,000 anns a' bhliadhna 1841, ach fhathast aig 5,346 ann an 1861, agus sin an deaghaidh nam fuadaichean. A-nuas bho'n bhliadhna sin bha an àireamh a' dol an lughad.

Aig a' cheud àireamh an deaghaidh cogadh Hitler ann an 1951 bha 3,765 ann. Deich bliadhna eile air adhart, an 1961, bha 3,995 ann — an àireamh air a dhol suas ri linn stéidheachadh ionad nan rocaid an Géirinis. Ach a-rithist ann an 1971 bha an àireamh air tuiteam gu 3,779*. Tha an àireamh seo riaghailteach gu leòr, ach chan iarradh duine gun tuiteadh i na b'ìsle. Tha caitheamh-beatha an t-sluaigh an Uibhist — agus anns gach eilean 'san taobh an iar an diugh — air a cìseadh cho trom le faraidhean ro àrd agus nach eil teagamh nach eil sin 'na chnap-starradh do ghnìomhachas sam bith a bhith air a chur air bonn ann. 'Se a' cheud cheum a tha ri thoirt ann an stéidheachadh obraichean, na faraidhean a thoirt a-nuas, no cur as dhaibh buileach, agus an Cuan Sgìth a bhith air a mheas mar earrann eile de rathaidean móra Bhreatainn. Tha an suidheachadh sin a' gabhail àite ann an dùthaich Niribhidh, agus chan eil eileanan taobh an iar na dùthcha sin air an cripleadh le cìsean 's le faraidhean mar a tha eileanan taobh an iar Alba.

Chaidh oidhirp a dhèanamh bho chionn beagan bhliadhnachan air gnìomhachas ùr a chur air bonn an Uibhist a Deas — 'se sin àrach no tuathanachas bhreac. Cha tig toradh na saothrach seo am follais gu ceann cunntais bhliadhnachan, nuair a thòisicheas reic an éisg, ach air réir 's na chaidh a chosg cheana air stéidheachadh nan ionadan-àraich 's fheudar gu bheil dòchas làidir aig ceannaghaidhean a' ghnìomhachais seo gun toir iad a-steach fiach an saothrach 's an cosgais air a' cheann thall.

Tha dà ionad-àraich éisg dhe'n t-seòrsa seo an Uibhist a Deas, aon ann an Loch a' Chàrnain agus aon ann am Mingearraidh. 'Sann ann am Mingearraidh a tha na h-ionadan-claidh no *hatcheries*, far a bheil an t-iasg a' tighinn beò bho'n iuchair. 'Na dheaghaidh sin, nuair a ruigeas iad ìre biadhaidh, tha iad gan cur ann an tancaichean móra far a bheil uisge glan ùr a' ruith an còmhnaidh. Tha an gnìomhachas seo fhathast cho ùr agus gu feum sinn feitheamh beagan bhliadhnachan mun gabh cunntas chothromach toirt seachad air mathas na h-obrach dha'n eilean no dha'n t-sluagh.

*Faic an dàrna *Appendix* aig deireadh an leabhair.

Tuathanachas éisg am Mingearraidh

Faighnichidh an coigreach dé an seòl cur seachad ùine a tha aig muinntir an eilein, cho fad as bho sholuis bhoillsgeach nam bailtean móra. Feumar aideachadh gu bheil atharrachadh mór eadar cur seachad ùine eileanaich an là an diugh agus eileanaich an là an dé.

Ann an linn ar n-athraichean, 's gu h-àraid ar seanairean, b'e an tigh-céilidh fuasgladh na ceiste seo. Cha robh baile gun a thigh-céilidh fhéin ann, far am biodh seanchas, naidheachdan, òrain is ceòl a' cur seachad na h-oidhche fhada gheamhraidh. Tha beagan dhe'n bheul-aithris a bhiodht' a' cleachdadh anns na céilidhean sin air a thoirt seachad ann an earrann eile dhe'n leabhar seo. Measgaichte ris a' chultur Cheilteach seo bhiodh gnìomhachas-làimh nam fear 's nam ban: na fir a' snìomh fraoch no muran airson caochladh fheumannan, agus na mnathan a' snìomh 's a' càrdadh, a' fighe 's a' fuaigheal; ach dèanadach 's gu robh gach fear is té, chumadh iad cluas gheur ri briathran an t-seanchaidh no an òranaiche. Bha barrachd ùidhe aig òigridh an là an dé an Uibhist ann an ceòl Gaidhealach na tha aig òigridh ar latha-ne. Faodaidh gu bheil seo nàdurra gu leòr, le caochladh sheòrsachan cultuir air feadh an eilein an diugh, ach aig an àm ud bha gach gille is nighean a' dèanamh an dìcheall gu na h-innealan ciùil air an robh eòlas aca a chluich iad fhéin. B'ainneamh tigh anns nach robh feadan ga chluich, agus tric 'sann air slait chaoil a bhiodh na feadain sin dèanta. Bhiodh bior-stocainn air a theasachadh dearg 'sa ghriosaich 's air obrachadh troimh mheadhon na slaite air a faid o cheann gu ceann. Mar an ceudna rachadh na h-ochd tuill a thoirt innte airson nam meòirean, agus le ribheid air a dèanamh air cas an eòrna thigeadh an ceòl a b'àille gu d'chluasan.

Bha an fhidheall 's am melodeon air an cleachdadh ionnan ris an fheadan, ach cha chuala mi Uibhisteach a' toirt oidhirp air aonan dhe na h-innealan sin a dhealbhachadh e fhéin.

An diugh, chan eil leithid an tighe-chéilidh ri fhaighinn eadar dà cheann an eilein. Chan eil na seanchasan 's na h-òrain a bha cho tric air bilean ar n-athraichean 's ar màthraichean ri'n cluinntinn bho'n òigridh an diugh. Dé a-nis an cur seachad ùine a th'aca-san?

Anns a' cheud àite, tha an telebhisean ann. Tha cluichean mar a tha ball-coise ann. Tha *discotheque* aig camp an Airm am Bail' a' Mhanaich. Tha dannsaichean ann, ged as ainneamh iad, ach chan eil an còrr. Saoilidh mi gum bu chòir móran a bharrachd a bhith an tairgse na h-òigridh anns an raon seo na tha ann 'sa cheart àm seo. A bharrachd air Talla an Iochdair chan eil tallachan an Uibhist a Deas ach tallachan nan eaglaisean agus tha iad sin fo riaghladh 's fo ùghdarras nan eaglaisean fhéin. Bhiodh e ro fhreagarrach tallachan co-chomunnail a bhith 'san eilean far am faodadh an òigridh cluichean no dannsaichean a chur air bonn mar a bhiodh freagarrach. Tha dìth ionadan dhe'n t-seòrsa seo 'na aobhar mór na h-uiread de ghillean òga a bhith gam faicinn a' cur seachad an fheasgair anns a' bhàr. Ged nach rachadh iad ann air sgàth òil a-mhàin, ach gus cruinneachadh còmhla, tha an cunnart ann gu faod cleachdadh an òil greim agus buaidh fhaotainn orra gu ìre 's gun tionndaidh iad a mach 'nam misgearan an ceann beagan bhliadhnachan gun fhios gun fhaireachdainn dhaib' fhéin. Ach nam bitheadh caochladh sheòrsachan cur seachad ùine ann, far am faodadh gille no nighean òg a dhol air feasgar, a gheamhradh no shamhradh, saoilidh mi nach tadhaileadh na h-uibhir dhiubh anns na bàraichean.

A-nis, mar thoradh air na h-atharrachaidhean a thàinig ann an cleachdaidhean 's ann am beatha shóisealta sluaigh anns an eilean anns an trì no ceithir de dheicheadan a chaidh seachad, gabhaidh e tuigsinn gun deach móran dhe'n t-seann dòigh-beatha bàs. Anns na seann làithean cha robh réidio no telebhisean ann. 'Sann gu math ainneamh a chìte pàipear-naidheachd. Cha robh am facal *disco* ann an cànan an eilein idir. Ach chaidh an tigh-céilidh a-mach a cleachdadh gu tur. Mar thoradh air bàs an tighe-chéilidh chaidh móran de bheul-aithris an eilein air chall, ach a-mhàin na chaidh a chruinneachadh leis na diùlnaich Ghaidhealach sin a Sgoil Eòlais na h-Alba. Ach bha beairteas mór de bheul-aithris air bilean an t-sluaigh an Uibhist a Deas, mar a chì sinn anns an ath chaibideil, ged nach eil ga thoirt seachad an sin ach blas beag dheth.

5 Beul-aithris

Clann 'ic Ailein

Ceart mar gach eilean eile, agus mar gach ceàrn ionadail 'san Roinn Eòrpa, tha a cuid fhéin aig Uibhist a Deas de bheul-aithris. Cha ghabh toirt am follais an seo ach beagan mu'n chuspair seo, ach tha móran de bheul-aithris an eilein cruinn ann an Sgoil Eòlais na h-Alba. Seo earrann beag dhe na bha a' dol air bilean an t-sluaigh anns na linntean a dh'fhalbh.

Mar a bhiodh nàdurra anns an linn ud, bha móran eachdraidh is beòil-aithris a-measg an t-sluaigh mu Ormaclait 's mu Chlann 'ic Ailein, uachdarain Uibhist a Deas. Tha tobhta Chaisteal Ormaclait suas fhathast, mar gum biodh 'na fianais air móralachd uaislean nan làithean ud, ged nach abair mise uaisle ri dòigh-beatha a bha a' cumail dhaoine bochda fo chuing thràilleil a' ghorta, 's a' ghainne aig na h-ìslean agus ceann a' bhior dhe'n mharaig aig na h-urrachan móra.

Ach biodh sin mar a bhitheas e, bha beul-aithris a-measg an t-sluaigh air mar a chaidh Caisteal Ormaclait a thogail. B'e Ailean Beag MacDhòmhnaill, mac do Dhòmhnall Dubh na Cuthaig, a fhuair an caisteal air a thogail. Bha Ailean cunntas bhliadhnachan 'san Fhraing, agus phòs e bean Fhrangach (b'e seo Peinidh, nighean a' Chòirneil MhicCoinnich a bha 'na Uachdaran an Tangier). Nuair a thill e gu Uibhist leis a' bhean òig 's a ràinig iad Ormaclait, cha robh ann ach seann tigh beag ged a b'e tigh mór eireachdail a bh'ann an coimeas ri tighean na tuatha. Bha nighean a' Chòirneil suas ri tigh 's ri dùthaich na bu thlachdmhoire 'na sùilean na seo, agus leig i seo fhaicinn do dh'Ailean gun móran dàil.

"Chan urrainn mise," ars' ise, "aon duine dhe m'chàirdean a thoirt air aoigheachd an seo; tha tigh-chearc m'athar nas fheàrr na'n tigh-còmhnaidh seo."

"Mas ann mar sin a tha," ars' Ailean, "bidh tigh againn a bhios airidh air mnaoi-uasail mar a tha thu." Thug e luchd-ceàirde a-nall as an Fhraing, agus chaidh Caisteal Ormaclait a thogail, obair a thug seachd bliadhna mun deach a crìochnachadh. 'Se seachd bliadhna eile a bha an togalach suas mun deach a losgadh gu làr oidhche Blàr Sliabh an t-Siorraim, an dearbh bhlàr anns an do chaill Ailean fhéin a bheatha.

Tha beul-aithris ag innse dhuinn cuideachd nach e peilear nàmhaid a mharbh Ailean idir air an là iomraiteach seo. Tha an naidheachd ag innse gun do chuir boireannach a mhuinntir Bhòrnais "seun" air Ailean an uair a bha e a' falbh a liostaigeadh an arm Iarla Mhàrr am Peairt 'sa bhliadhna

Ormaclait

1715. Bha buaidh shònraichte aig "seun" air an neach air an cuirt' i; b'e sin nach bàthadh uisge e, nach loisgeadh teine e agus nach marbhadh luaidhe e. Co-dhiùbh, thug Ailean leis mac bantraich a Staoinibrig an aghaidh toil a mhàthar, ged a ghrìos i air an aona mhac fhàgail aice. Nuair nach dèanadh Ailean sin, bhòidich a' bhantrach nach tilleadh Ailean Beag, ge b'e dé dh'éireadh dha a mac-se. Dh'fhaighneachd i dhe'n ghille có b'fheàrr leis—am bonnach beag le a beannachd no am bonnach mór le a mallachd. Fhreagair an gille gum b'fheàrr leis am bonnach beag le beannachd a mhàthar. Thug i dha am bonnach beag agus bonn sia-sgillinn lùbte. "Seo," ars ise ris, "bonn sia-sgillinn 's e mallaichte seachd tursan. Uisnich aig a' bhlàr an aghaidh Ailein Bhig i agus coisinn beannachd do mhàthar; na ùisnich idir i, agus coisnidh tu a mallachd." Latha Blàr Sliabh an t-Siorraim cha robh luaidhe a' dèanamh dochann sam bith air Ailean, ach chuimhnich mac na bantraich air briathran a mhàthar is thuirt e ris fhéin gum b'fheàrr dha tuiteam le beannachd a mhàthar na le a mallachd, 's chuir e an t-sia-sgillinn 'sa ghunna. Loisg e air Ailean agus thuit Ailean. Chruinnich a chuid dhaoine timcheall air Ailean, a' caoineadh 's a' tuiream, agus is ann an uair sin a dh'éigh Fear Ghlinne Garaidh, "Cogadh an diugh, 's bròn a-màireach."

An oidhche sin fhéin chaidh Caisteal Ormaclait 'na theine, 's b'e a b'aobhar dha seo gu robh cairbh féidh ga goil air an teine 's gun do chuir an coire mór thairis 's gun deach an togalach suas 'na smàl. Nach bu mhór a' chuirm a bh'air a bhith 'sa chaisteal an oidhch' ud le sitheann an fhéidh, ged a b'iomadh tigh duine bochd air an oighreachd — a' mhór-chuid aca — nach robh a' bhìdeag arain a bu lugha 'na bhroinn a rachadh am beul fir no mnà no phàisdean.

Bha tac Ormaclait cunntas bhliadhnachan aig fear Iain MacGhill-Fhaolain. Bha e pòsda aig Peinidh NicDhòmhnaill, banacharaid de Fhlòraidh a' Phrionnsa agus mar an ceudna de Chlann 'ic Ailein. Air réir beòil-aithris, 'se boireannach dreachmhor a bh'innte, agus fiosrachail air a réir. Bliadhnachan mun do dh'eug i, thug i seachad dha'n Admiral An Ridire Reginald MacDhòmhnaill, triath Chlann 'ic Ailein aig an àm, seudan luachmhor a fhuair i ann an tobhta a' chaisteil. Bha i a' dèanamh dheth, agus chan eil teagamh nach robh i ceart, gur ann do Pheinidh, bean agus ban-tighearna Ailein Bhig, a bhuineadh na seudan 's gun deach an call an àm an teine.

Bha naidheachd eile ga h-aithris an Uibhist mu Mhac 'ic Ailein agus mu mhac bantraich. Chan eil mi fhìn cinnteach có am fear de Chlann 'ic Ailein a bha seo, ach 's fheudar gur ann roimh linn Ailein Bhig a thog an caisteal a thachair na gnìomhannan mu bheil an naidheachd ag innse, a thaobh 's gur e boghachan-saighead na h-airm a tha air an cleachdadh. Ach gu tilleadh chun na naidheachd: thachair do MhacLeòid Dhùn-Bheagain a bhith an turus seo air aoigheachd aig Mac 'ic Ailein an Ormaclait. Bha treabhaiche Mhic 'ic Ailein air a' mhachaire a' treabhadh, agus air dha'n dà dhuin'-uasal a bhith a' dol seachad, chrom an treabhaiche agus thog e brisgean a bh'anns a' chlaisidh, agus dh'ith e e. Choisich Mac 'ic Ailein a-null far an robh e. "Carson," ars' esan, "a tha na h-eich 'nan seasamh agad?" "Cha robh mi ach a' togail a' bhrisgein," ars' an treabhaiche. "Dé shaoileadh MacLeòid?" arsa Mac 'ic Ailein. "Chanadh e ris fhéin nach robh na seirbhisich agam-sa a' faighinn biadh gu leòr nuair a dh'fheumadh iad a bhith ag ithe nam brisgeanan, ach cha dèan thusa rithist e." Thug e mach a bhiodag agus mharbh e an treabhaiche 'na sheasamh far an robh e. Bha an gréidhear 'na sheasamh faisg air làimh agus thàinig e nall. "An t-Agh," ars' esan, "'s olc an rud a rinn thu." "Carson sin?" arsa Mac 'ic Ailein. "Tha," ars' an gréidhear, "gu bheil a bhràthair Fearchar ag obair agad an Ormaclait, agus teaghlach de ghillean móra sgairteil aige a bheir a-mach tòrachd bàis bràthar an athar." "Mas ann mar sin a bhitheas," arsa Mac 'ic Ailein, "théid iadsan a mharbhadh cuideachd." An oidhche sin fhéin chaidh comhairle-cogaidh a chumail an Ormaclait agus rinneadh suas gu feumte Fearchar agus na gillean a mharbhadh ma bha tèarainteachd sam bith gu bhith aig Mac 'ic Ailein.

Chuala Fearchar agus na gillean an cunnart a bha g'an ionnsaigh agus rinn iad air teicheadh le'm beatha. Rugadh air Fearchar air cùl cnuic faisg air seann tobhta an Ormaclait fhéin agus mharbhadh an sin e. Rinn Raghnall, fear dhe na gillean, air baile Stadhlaigearraidh. B'e seo baile Mhic Mhuirich, agus nam faigheadh e taobh a-stigh crìochan a' bhaile sin cha b'urrainn do dh'ùghdarras Mhic 'ic Ailein beud a dhèanamh air. Ach bha maoir Mhic 'ic Ailein gu dlùth air a shàilean, agus nuair a bha Raghnall gus a bhith aig crìch Stadhlaigearraidh bha fear a-nuas 'na choinneamh agus ròpa sréine 'na làimh. Dh'éigh na maoir dha'n fhear seo Raghnall a stad, 's nuair a bha Raghnall a' dol seachad air thilg e an ròpa mu chasan agus leag e e. Mun d'fhuair e éirigh bha na maoir aige, 's chaidh a mharbhadh an sin fhéin.

Rinn a bhràthair Niall air Loch Aoineart agus bha e a' falach mu'n chladach. Chunnaic na maoir e agus mharbh iad e le saighead. Chaidh an treas fear a ghlacadh ann an Gleann Chill Donnain. Ach fhuair bean Fhearchair agus an leanabh gille a bh'aice teicheadh agus ràinig i Taobh a' Chaolais aig Cille Bhrìghde. Bha òrdan aig na maoir, nuair a ghlacadh iad i fhéin 's am pàisde, cridhe agus sgamhan an leanaibh gille a thoirt g'a ionnsaigh, los gum biodh e cinnteach nach robh duine air fhàgail a thogadh tòrachd mort an treabhaiche. Bha bantrach Fhearchair 's an gille beag a' falach ann an uaimh aig oir a' chladaich agus dé rinn i an latha seo ach a dhol a-mach a bhuain bhàirneach. Thàinig dithis dhe na maoir air an uaimh agus fhuair iad an gille.

"Trobhad a-mach," arsa fear dhiubh, "agus gu marbhamaid thu." Bha am fear beag a' criomadh cnàimh sgairbh agus fhreagair e, "Stad gus an cì mi'n cé" (gus an criom mi an cnàimh). "An t-Agh, gu dearbh ni mise

sin," ars' am maor, "agus cha chreid mi nach do rinn sinn marbhadh gu
leòr cheana." "Dé mar as urrainn dhuinn fhàgail beò?" ars' am fear eile,
"'s gu feum sinn a chridhe 's a sgamhan a thoirt gu Mac 'ic Ailein?"
"Tha cù beag agad an sin," ars' am fear eile, "agus chuala mi gu robh
cridhe is sgamhan coin ionnan ri cridhe is sgamhan pàisde. Marbhaidh
sin an cù, 's bheir sinn an cridhe 's an sgamhan gu Mac 'ic Ailein." Seo
mar a thachair, agus nuair a thàinig màthair a' ghille, chaidh an
gnothach innse dhi. Dh'iarradh oirre teicheadh buileach as an eilean leis
a' phàisde, agus thill iad fhéin a dh'Ormaclait le cridhe is sgamhan a'
choin.

Fhuair ise 's am pàisde air falbh agus ràinig iad Fear Ghlinne Garaidh,
a ghabh truas gu leòr rithe agus a chuidich i, a bharrachd air sgoil is
ionnsachadh a thoirt dha'n fhear bheag.

Nuair a thàinig an gille gu ìre fearalais dh'inn.s a mhàthair dha gach nì
mar a thachair. Bha esan deònach tighinn gun dàil sam bith a dh'Uibhist
a thogail tòrachd athar agus a bhràithrean. Dh'aontaich Fear Ghlinne
Garaidh leis agus thug e dha saighdearan gus a chuideachadh, air
chùmhnant nach cuireadh e dragh air aon duin' eile an Uibhist ach Mac
'ic Ailein. Dh'aontaich mac na bantraich ris a seo, agus chuir iad an
aghaidh air Uibhist a Deas.

Bha Mac 'ic Ailein air faighinn a-mach greis roimhe seo gu robh an
gille beò, agus bha bàta mór aige deiseil air acair an Cumhabhaig air Aird
Mhìcheil air taobh an iar an eilein faisg air Ormaclait. Bha sgioba air bòrd
a' bhàta deiseil gu teicheadh le Mac 'ic Ailein aon uair 's gun tigeadh an
tòir a bha e cinnteach a thigeadh air riamh bho'n a chual' e gu robh mac
Fhearchair beò. Bha an gréidhear a-muigh gach latha a' cumail faire,
agus an latha seo thàinig e gu a mhaighstir is thuirt e gu robh e a' faicinn
deannan dhaoine a-nuas sìthean Chill Donnain. "Coimhead gu math,"
arsa Mac 'ic Ailein, "feuch an e saighdearan a th'ann." Sheall an
gréidhear a-rithist, agus nuair a thill e an turus seo thuirt e gun e
saighdearan a bh'ann—gu robh e a' faicinn na gréine a' deàrrsadh air na
h-airm aca. "Carson," arsa Mac 'ic Ailein, "nach do dh'innis thu sin
dhomh an toiseach?" 's e aig an aon àm a' toirt a-mach a chlaidheimh 's a'
gearradh a' chinn far a' ghréidheir. Rinn e an uair sin air Cumhabhaig,
far an robh am bàta.

Chunnaic mac Fhearchair a' falbh e, agus dh'aithnich e gur ann a'
teïcheadh a bha e, agus rinn e gus a bhith roimhe aig a' chladach. Ràinig
Mac 'ic Ailein an cladach air thoiseach air mac Fhearchair, agus dh'éigh e
do sgioba a' bhàta tighinn a-stigh 's gu faigheadh e air bòrd. Ach nuair a
bha e a' dol air bòrd, bha mac Fhearchair air a chùl agus mharbh e e.

Rinn mac Fhearchair agus a chuideachd an uair sin air Ormaclait, far
an do chuir mac Mhic 'ic Ailein fàilte choibhneil orra. Rinneadh àite
deiseil dhaibh ann an tigh a-muigh, ach cha chaidleadh mac Fhearchair
ach anns an aon t-seòmar cadail ri oighre Mhic 'ic Ailein. Seo mar a bha.

36

Chuir mac Mhic 'ic Ailein a chlaidheamh air a' bhòrd, agus chuir mac Fhearchair ri taobh na leapa e. Nuair a bha iad greis 'san leabaidh tharraing mac Fhearchair srann a leigeil air gu robh e 'na chadal. Dh'fhairich e am fear eile ag éirigh 's a' ruighinn air a chlaidheamh. Gheàrr e leum agus thilg e am fear eile air ais air an leabaidh agus mharbh e le chlaidheamh fhéin e. Dhùisg e an sin na saighdearan, 's dh'fhalbh iad, 's chan fhaca Uibhist tuilleadh iad.

'Se MacMhuirich a b'oide do dh'Anna, nighean Mhic 'ic Ailein, agus bha i air a togail a-stigh aige fhéin ann an Stadhlaigearraidh bho'n a bha i 'na pàisde gus an tàinig i gu ìre boireannaich. Agus an latha a bha seo, thug i iomradh gu fac' i aisling as a cadal.

"Seadh," ars' a h-oide rithe, "gu dé an aisling a chunnaic thu?"

"Chunnaic mi," ars' ise, "mi bhith muigh anns a' mhadainn, agus mi a' cluinntinn na cuthaig agus gun bhiadh 'nam bhroinn."

"O, ma-ta," ars' a h-oide, "cha bhi thu ann an tigh MhicMhuirich nuair a thachras sin."

(Bha e ri ràdh gum biodh pàisde dìolain roimh cheann na bliadhna aig nighinn òig a chluinneadh a' chuthag anns an dòigh seo.)

Agus 'se an rud a rinn MacMhuirich an tochradh a chur a-mach dhi anns a' mhionaid — seachd mairt dheug agus tarbh — agus falbh dhachaidh leatha gu ruig Ormaclait gu a h-athair, agus iad ag iomain na spréidhe rompa.

Chunnaic iad bho'n chaisteal an Ormaclait an tàin chruidh a bha suas an tràigh bhàn, agus fireannach is boireannach as an deaghaidh. Nuair a theann iad na b'fhaisge, dh'aithnich iad có bh'ann.

"O, a Rìgh Shaoghail," arsa Mac 'ic Ailein, "gu dé a rinn Anna mo nighean ceàrr air a h-oide, nuair a tha i fhéin 's e fhéin a' tighinn an seo agus a tochradh leatha?"

Co-dhiùbh, nuair a ràinig MacMhuirich agus a dhalta Ormaclait, dh'fhaighneachd Mac 'ic Ailein gu dé rinn Anna ceàrr.

"Cha do rinn an nighean dad ceàrr," arsa MacMhuirich, "ach bha toil aice fhéin tilleadh dhachaidh."

A-nis, anns an àm ud, bha e 'na chleachdadh ann an Uibhist cruinn-eachadh a bhith aca aig àm deireadh chròdhaidh; agus a' cheart bhliadh-na bha seo, bha cruinneachadh aca ann an Ormaclait nuair a bha am bàrr air fhaighinn dhachaidh.

Nis, air greis dhe'n oidhche, mar gum biodh an deoch air fàs gann air a' chruinneachadh, chuir a' bhan-tighearna a nighean Anna a-mach dha'n tigh mhór a dh'iarraidh tuilleadh dibhe. Nuair a thill an nighean a-stigh 's an deoch aice, bha blàth caoinidh oirre. Dh'fhaighneachd a màthair dhith gu dé bha ceàrr. Thuirt an nighean gun do thuit i bho'n a chaidh i mach ann an tòrr shligean, agus gun do ghearradh a glùin.

"O, gu dearbh," ars' a màthair, "dh'aithnich mi air sùil Fhearchair 'ic Alasdair gu robh rudeigin 'na bheachd." Chum i beachd air an oidhch' a bh'ann, agus tri ràithean bho'n oidhche sin bha pàisde gille aig nighean Mhic 'ic Ailein, 's thug i suas Fearchar mac Alasdair, an gréidhear, 'na athair dha. Rinneadh greim air Fearchar 's chaidh a chur am prìosan 's glas-làmh air.

Co-dhiùbh, bha Fearchar ann an sin 'sa phrìosan, 's bhiodh fear daonnan a' dol thuige le biadh. An oidhche bha seo dh'iarr am prìosanach air an fhear sin, nuair a dh'fhalbhadh e an oidhche sin, dorus a' phrìosain fhàgail gun ghlasadh. Rinn an duine sin, agus fhuair Fearchar mac Alasdair mu sgaoil an oidhche sin. Ràinig e a' chlisneach aig crìch Staoinibrig, agus thòisich e air suathadh na glais-làmh ris a' chlisnich gus an do dh'fhuasgail e an tarrang a bha ga ceangal, a chionn fhuaradh an tarrang aig taobh na clisnich beagan ùine 'na dheaghaidh sin.

Thug Fearchar aghaidh air a' bheinn, agus ràinig e Bàgh na Hann aig bun Loch Aoineirt 's fios aige gu faigheadh e bàta ann an sin, a bheireadh gu tìr-mór e. Chaidh e a thigh an fhir a bha a' còmhnaidh anns na Hann, agus chaidh gabhail aige glé mhath ann, oir dh'aithnich iad glé mhath có bh'ann, agus gur ann air teicheadh a bha e. Chuireadh biadh air bòrd dha, 's bha e fhéin 's fear an tighe 's a bhean a' seanchas 's a' gabhail am bìdh. An ceann greis dh'éirich fear an tighe mach as an tigh, agus bha Fearchar a' gabhail fadachd nach robh e a' tilleadh a-stigh. Ghabh e droch amharus air, agus dh'éirich e fhéin a-mach 's ghabh e sìos chun a' chladaich far an robh an sgoth, 's chunnaic e gu robh clach air a cur troimh'n ùrlar aice. Thuig e 'sa mhionaid mar a bha cùisean, gur e fear an tighe a rinn seo agus gu robh e nis air a rathad gu Ormaclait gus esan a bhrath.

Chuir e aghaidh air a' bhaile as deaghaidh an fhir a dh'fhalbh, 's rug e air mus deach e ro fhada 's mharbh e air a' bhad e. Thilg e an corp aige do dh'abhainn a bha faisg, 's cha d'fhuaradh riamh corp an duine gus an d'fhuaradh na cnàmhan an ath-bhliadhna anns an abhainn. Agus theirear Abhainn nan Cnàmh ris an abhainn sin chun an là an diugh. Thill Fearchar an uair sin dha na Hann. Fhuair e ceaba agus bhuain e sgrath réisg is chàirich e air ùrlar na sgotha i air uachdar an tuill. Chuir e calcadh air choireigin foidhpe 's dh'fhalbh e leatha. Chualas as a dheaghaidh sin gun do ràinig e tìr-mór gu sàbhailte.

Co-dhiùbh, ann an Uibhist, dh'fhàs a mhac suas 'na ghille mór, sgairteil agus 'se Raghnall a bha mar ainm air. Nuair a thàinig e gu ìre fearalais, thug a sheanair dha Staoinibrig, agus rinn seo uachdaran dheth air baile fearainn. Goirid as a dheaghaidh seo, thàinig bàta anns an robh luchd dibhe dha'n fhadhail, 's bha iad a' cur nan togsaidean air tìr 's gan cur ann an tigh-stòir air a' chidhe. Chaidh geall a chur a-mach, duine sam bith a chuireadh suas an togsaid air an staidhre le cheann gun a làmh a chur 'na còir, gu faigheadh e dha fhéin i. Bha toil aig gu leòr feuchainn ach cha robh misneach gu leòr aca, ach co-dhiùbh dh'fheuch Raghnall, mac nighean Mhic 'ic Ailein. Dh'fhalbh e leis an togsaid, ga putadh suas an staidhre le neart a chinn, ach nuair a bha e gus a bhith shuas leatha shleamhnaich a chas bhuaithe le alltapadh air choireigin agus thill an togsaid air ais, gu mì-fhortanach a' pronnadh a' chinn aige.

Bha ionndrain mhór air Raghnall an deaghaidh sin, agus 'sann an uair sin a thàinig e fainear dha'n fheadhainn dha'm buineadh e briathran a thuirt seann duine a bh'anns an nàbachd latha 's e air tighinn do thigh Mhic 'ic Ailein 's Raghnall 'na phàisde beag anns a' chreathaill. Sheas an seann duine os cionn a' phàisde 's e a' coimhead air. Chuir e a làmh air a cheann agus ars' esan, " 'S cruaidh, cruaidh leam an tinn a théid air a' cheann bheag bhàn sin fhathast."

"Gu dé," arsa Mac 'ic Ailein, "an tinn a tha thu a' faicinn a dh'ionnsaigh an leanaibh?"

"O, chan eil," ars' an seann duine, "ach tha mi cinnteach nach bi mise no sibhse beò gus sin fhaicinn a' tachairt." Agus 'sann nuair a chaidh Raghnall a mharbhadh a thàinig an fhàidheachd a rinneadh dha'n leanabh bheag fainear dha na daoine.

Clann 'ic Mhuirich

Ceart mar a bha móran de bheul-aithris an Uibhist mu Chlann 'ic Ailein, bha an cuid fhéin aig Clann 'ic Mhuirich,* na bàird agus na seanchaidhean ainmeil a bha a' còmhnaidh am baile Stadhlaigearraidh. Bha am baile seo aig MacMhuirich dha fhéin, agus tha làrach tobhta an tighe ri faicinn fhathast. Bha beul-aithris a-measg an t-sluaigh an Uibhist air mar a fhuair MacMhuirich an tigh seo air a thogail dha. Tha an naidheachd ag innse gu robh e an latha seo air a' chladach agus gu dé fhuair e ach cuilean beag. Thug e leis an cuilean dhachaidh 's thug e biadh dha, agus laigh an cuilean gu socair ri taobh an teine. Chaidh Mac-Mhuirich a chadal. Air feadh na h-oidhche dh'fhairich e ùpraid a-muigh. Dh'éirich e, 's dh'éigh e có bha siud.

"Cuir a-mach mo chuilean thugam," ars' a' bhiast a bha muigh. Thuig MacMhuirich gun e olcas air choireigin a bha seo, agus dh'éigh e gun cuireadh e mach an cuilean nan togadh i tigh dha na b'fheàrr na bh'aige. Bha e a' smaointinn nach b'urrainn dha'n bhéist seo a dhèanamh agus mar sin gu faigheadh e cuidhteas i. Dh'fhalbh ise, agus MacMhuirich a' sealltainn as a deaghaidh, 's thòisich i ri togail an tighe, 's air réir na naidheachd bha grunnan dhe leithidean fhéin còmhla rithe.

Chluinneadh e i ag éigheach:

---

*Bha iad fad aon chóig ghinealaichean deug 'nam bàird 's nam fir-eachdraidh, an toiseach aig Tighearnan nan Eilean, agus a-rithist aig Clann Raghnaill. Bha baile fearainn Stadhlaigearraidhagus ceithir peighinnean Dhreimeasdail aca bho na cinn-chinnidh. B'e Niall Mac-Mhuirich, a dh'eug anns a' bhliadhna 1726, am fear mu dheireadh dhe'n teaghlach a bha 'na bhàrd aig Clann Raghnaill.

39

Gach fiodh 'sa choille ach fiodhagach
Chan fhaigh mi mar a chuireas mi.

agus ann am beagan ùine bha an tigh deiseil agus thill a' bhiast chun na h-uinneig.

"Cuir a-nis a-mach mo chuilean thugam," ars' ise.

"Nì mi sin," arsa MacMhuirich, "ma ni thu clachan dhomh air am faigh mi mach 's a-stigh a Stadhlaigearraidh."

Dh'fhalbh ise agus thòisich i air togail a' chlachain. Tha an clachan seo ri fhaicinn chun an là an diugh pìos an ear air an rathad mhór aig Stadhlaigearraidh, 's e air ainmeachadh mar Clachan Lainginis, a thaobh 's gur e sin ainm an àite 's a bheil e. Tha an clachan a' dèanamh dà leth air a' phìos locha anns a bheil e, agus bha e uaireigin 'na rathad goirid aig fear-siubhail air an t-slighe gu Loch Sgioport 's gu taobh an ear an eilein. Tha clachan cho mór air an cur air a chéile an seo agus gu bheil e glé dhoirbh a chreidsinn gun cuireadh neart dhaoine cumanta an altaibh a chéil' iad, oir feumar a thuigsinn nach robh cumhachd innealan no dad dhe'n t-seòrsa ann 'sna lathaichean seo. A thuilleadh air a seo, tha an naidheachd ag innse gun do dh'fhàg a' bhiast lorg bonn a coise ann an cloich aig ceann a' chlachain, agus ge b'e dé an doigh anns an tàinig an lorg seo gu bhith 'sa chloich tha i ri faicinn ann chun an là an diugh.

Gus tilleadh chun na naidheachd: thill a' bhiast gu uinneag Mhic-Mhuirich agus dh'éigh i, "Cuir a-nis a-mach mo chuilean thugam." Thuig MacMhuirich gu feumadh e dèanamh na b'fheàrr na rinn e mu faigheadh e cuidhteas a' bhiast agus dh'éigh e: "Nì mi sin ma nì thu crann-gatha dhe'n t-simid." 'Se facal a th'ann an *simid* nach eil idir bitheanta an diugh, ach tha faclair Dwelly ag ràdh gur e plocan no maide-pronnaidh buntàta a th'ann. Tha seo a' freagairt gu math a thaobh mar a dh'iarr MacMhuirich crann-gatha — 'se sin gathan mór de chraoibh — a dhèanamh dhe'n mhaide bheag seo, agus air réir mar a fhreagair ise e, cha b'urrainn dhi seo a dhèanamh. Thuirt i:

Dhèanainn cam dìreach, is dhèanainn dìreach cam,
Ach fad a chur air giorrad chan urrainn mi ann —
M'airc agus m'ainneart crann-gath a dhèanamh dhe'n t-simid.

Dh'fhalbh a' bhiast, 's nuair a sheall MacMhuirich cha robh sealladh aige air a' chuilean. Ach bha tigh ùr aige agus rathad ùr gus faighinn a mach 's a-stigh a Stadhlaigearraidh.

Tha againn cuideachd bho bheul-aithris Uibhist a Deas gu robh an deamhan air fasdadh aig MacMhuirich aon bhliadhna. Thàinig am fear a bha seo gu MacMhuirich toiseach an earraich, agus dh'iarr e fasdadh bliadhn' air. Fhuair e sin bho MhacMhuirich. Ach cha robh an seirbh-iseach a bha seo ag iarraidh móran tuarasdail idir. Bha pìos de ròpa no taod aige 'na làimh, agus thuirt e ri MacMhuirich nach robh e ag iarraidh mar phàigheadh ach na thoilleadh anns an taod bhreac de dh'arbhar aig

40

deireadh an fhoghair nuair a bhiodh am bàrr cruinn.

Dh'aontaich MacMhuirich ris a seo gu math toilichte a chionn 's gu robh e a' faicinn nach gabhadh an taod breac ach eallach beag agus nach fhairicheadh e as aonais e. Bha an seirbhiseach a' dol a-mach a h-uile madainn agus bioran beag maide aige 'na dhòrn. Stobadh e am bioran dha'n talamh agus an uair sin chuireadh e ri shròin e. Thilleadh e stigh. Shìneadh e e fhéin suas ri taobh an teine agus chaidleadh e. Bha cùisean a' dol air adhart mar seo bho latha gu latha, 's cha robh obair de sheòrsa sam bith ga dèanamh. Bha MacMhuirich a' faighneachd tric dheth cuin a bha obair an earraich a' dol a thòiseachadh, ach fhreagradh esan nach robh an talamh deiseil no freagarrach fhathast.

Ach aon mhadainn chaidh e mach mar a b'àbhaist. Stob e am bioran maide 'san talamh. Shlaod e as e 's chuir e ri shròin e. Thog e an uair sin a dhà làimh os cionn a chinn 's dh'éigh e àird a chlaiginn:

A-mach na h-eich 's na h-iallan 's na h-aghastair, 's an talamh air a dhol a dhàir.

Chaidh na h-eich a bheairteachadh, is thòisich an treabhadh 's an cur, 's chan fhaca MacMhuirich seirbhiseach riamh roimhe aige fhéin cho dèanadach 's cho ealanta ris an fhear seo. Chaidh a' churachd a dhèanamh, 's bha bàrr a' bhliadhna sin ann an Stadhlaigearraidh nach fhaca MacMhuirich riamh roimhe na b'fheàrr.

Nuair a bha an t-arbhar 'san iodhlainn, deireadh an fhoghair, thug MacMhuirich tarraing gu robh an t-àm a-nis air tighinn gus an luchd-obrach a phàigheadh.

"Chan eil agad fhéin," ars' esan ris an t-seirbhiseach, "ach lìon an taod breac 's na bi idir ga chùmhnadh." Bha e a' faicinn nach gabhadh an taod eallach mór co-dhiùbh. Thòisich an seirbhiseach air dèanamh an eallaich. Sgaoil e an taod air an làr 's bha e a' sìor chur 'na bhroinn. Ach cha robh coltas gun gabhadh an taod seo lìonadh. Bha MacMhuirich a' fas iomagaineach, agus nuair a chunnaic e gu robh a h-uile gas a bh'anns an iodhlainn air thuar a bhith am broinn an taoid bhric, thuig e có bh'aige. Chaidh e stigh 's thàinig e mach fo chuid armachd. Sheas e air beulaibh fear an eallaich. Ars' esan:

Di-haoine chuir mi, Di-haoine bhuain mi,
Di-haoine thug buaidh air mo ghart;
Ach an ainm na Trionaid,
A Dhiabhail, fàg mo thigh.

Dh'fhalbh an seirbhiseach 'na shradagan teine dha na speuran, agus sgaoil an taod breac, is bha arbhar MhicMhuirich 'sna cruachan mar a bha e roimhe.

Air réir gach eachdraidh beòil-aithris a tha mu dheidhinn Mhic-Mhuirich, tha e soilleir gu robh an sluagh a' creidsinn gu robh cumhachd

41

os cionn nàduir dhaonnda aige. Bha gibhtean gu leòr aig an teaghlach gun aon teagamh, ach tha e duilich a chreidsinn gun ceannsaicheadh iad a' ghaoth 's na siantan. Ach sin a' cheart rud a tha MacMhuirich a' dèanamh anns an naidheachd a leanas.

Bha trì iarrtasan anns an latha aig MacMhuirich. Bha e fhéin 's a mhac an turus a bha seo air ceann gnothaich am baile Ghlaschu, agus bha marsanta a mhuinntir Uibhist a' dol a thighinn còmhla riutha 'sa bhàta. Nuair a bha iad a-nall letheach slighe thuirt MacMhuirich gu faigheadh gach fear aca aon iarrtas am fear an diugh. "Agus," ars' esan, "biodh a' cheud iarrtas aig a' mharsanta, nuair a nì mi fhìn m'iarrtas an toiseach." Dh'iarr MhacMhuirich an sin a' ghaoth, 'sna briathran seo:

Gaoth an ear bho'n ailbhinn chiùin
Mar a dh'òrdaich Rìgh nan Dùl,
Soirbheas gun iomramh gun abhsadh
Nach dèanadh gnìomh fabhtach dhuinn.

"'S bog, similidh a dh'iarr thu i," ars' am marsanta.
"Nach iarr thu fhéin a-nis i," arsa MacMhuirich.
Thuirt am marsanta:

Gaoth a tuath cho cruaidh ri slait
A dh'fhuraileadh os cionn stuic,
Mar earb 's i 'na tailc
'S i a' ruith le ceann cruaidh cròic.

Shéid a' ghaoth gu math na bu chruaidhe an turus seo, agus bha am bàta a' ruith gu math. Nuair a bha iad a' dlùthachadh air Uibhist thuirt MacMhuirich ri mhac: "Cha do rinn thusa d'iarrtas fhathast."
"Nì mi nis e," ars' an gille, agus seo mar a labhair e:

Ma tha gaoth an Ifrinn fhuar
Thionndaidh's na tonnan dubh ruadh,
A dhoineann, cuir 'nar deaghaidh i
'Na sradan teine teinntean,
Ged bhiodh am marsanta 'sa ghrunnd
Ach mis' is m'athair 's mo chù dhol gu tìr.

Mun do thàr e na faclan a leigeil as a bheul, thàinig i 'na rag stoirm as an deaghaidh, agus chaidh am bàta a thilgeil suas air na creagan air cladach Uibhist, agus chaidh am marsanta a bhàthadh.

Bha beul-aithris gu leòr an Uibhist mu dheidhinn nan sìthichean a bhith a' fàgail leanaibh-sìthe an àite an leanaibh dhaonnda. Bha làmh aig MacMhuirich ann an té dhe na naidheachdan seo mar an ceudna. Seo mar a bha an sgeul ga h-innse.

Bha am boireannach a bha seo aon latha a' buain arbhair aig Mac-Mhuirich. B'e corrain a bhiodh a' dèanamh na buana aig an àm ud agus gu tric 'se na boireannaich a bhiodh ag obrachadh a' chorrain. Bha pàisde òg aig a' bhoireannach àraid seo, agus leig i as e ri taobh adag arbhair far am biodh fasgadh bho'n ghaoith. An ceann beagan ùine, thòisich am pàisde air rànaich, 's cha ghabhadh stad cur air. Chaidh ise a-null far an robh e, ach cha dèanadh dad a dh'fheuchadh i feum sam bith. Dh'fheuch i ri cìoch a thoirt dha, ach dh'òladh esan na bha de bhainne aig stoc chruidh MhicMhuirich gu léir. Thug i leatha dhachaidh e, agus rinn i biadh dha, ach dh'itheadh esan na bh'ann an Stadhlaigearraidh air fad. Ghabh i droch amharus an sin nach e am pàisde aice fhéin a bh'aice idir. Thog i leatha e, agus ràinig i MacMhuirich. Dh'innis i gach nì mar a thachair agus ghrìos i air rudeigin a dhèanamh gus a cuideachadh airson a pàisde fhéin fhaighinn air ais an àite an tàcharain a bha seo. Thàinig MacMhuirich a-nuas an ceann greis agus e fo chuid armachd 's a chlaidheamh rùisgte.

"Muc dhearg," ars' esan. B'e seo an aon fhacal a bha am beul an tàcharain fad an latha.

"Muc dhearg," ars' am fear beag.

"Muc dhearg," arsa MacMhuirich.

"Muc dhearg," ars' am fear beag 's e a' fàs gu math crosda.

"A mhuc dhearg sin 's a mhuc dhearg," arsa MacMhuirich, "'s a mhuc leth-chluasach leth-dhearg. Gabh, a mhic còcaire nan ceann, air falbh as m'fhianais, 's na faicte air an fhonn cheudna tuilleadh thu."

Leum an tàcharan a-mach as an tigh agus nuair a sheall iad a-mach bha am pàisde dòigheil 'na shuidhe a' caoineadh air leac an doruis.

A' Mhaighdean-mhara

Bha móran de bheul-aithris anns na h-eileanan gu léir mu'n mhaighdinn-mhara, agus ann an Uibhist tha dearbhadh no dhà air a thoirt seachad gun deach an creutair seo fhaicinn le daoine a bha — air réir na sgeòil — fìrinneach, agus onarach 'nan dòigh. Cumaidh mi fhìn inntinn fhosgailte mu dheidhinn a' chuspair sin, ach seo agaibh aon sgeul air Uibhisteach a chunnaic a' mhaighdean-mhara.

Bha Niall MacEachainn, croitear a mhuinntir Hogh-big an Uibhist a Deas, a' tilleadh dhachaidh a Glaschu, far an robh e fhéin agus feadhainn eile air a bhith a' reic toradh fearainn. Bha seo roimh latha nam bàtaichean-smùide air taobh an iar Alba. Bha iad air tighinn a-mach a Caol Mhuile, 's a' ghaoth air tuiteam gus nach robh deò ann a lìonadh an seòl 's a chumadh am bàta a' gluasad. Ceart mar ann am briathran an òrain, "bha 'n cuan mar sgàthan gorm gun sgleò", nuair a mhothaich iad dha'n chreutair a bha seo mu dhà shlait bho chliathaich a' bhàta. Bha an ceann, an amhach, am broilleach agus na guaillean air cumadh boireannaich, ach gu robh a falt na bu ghairge 's na bu làidire. Na bha fo'n uchd bha e fo'n uisge. Thug an creutair a bh'ann mu dhà mhionaid a' dùr-amharc orra, agus an sin leig e e fhéin sìos fo'n uisge cho socair agus

43

cho balbh 's a nochd e. Bha Niall eòlach gu leòr aig muir ach cha b'urrainn dha mìneachadh sam bith a thoirt seachad air an t-sealladh neo-chumanta seo, a thaobh 's nach fhac' e fhéin a leithid riamh roimhe. Thuirt fear dhe chompanaich, air a shon sin, gur e maighdean-mhara a bh'ann agus gu fac' e fhéin creutair dhe'n aon t-seòrsa bliadhnachan roimhe sin 's e a' dèanamh ceilpe ann an Aird Mhaoile an Uibhist a Deas. Bha Niall MacEachainn air a chunntais 'na dhuine nach innseadh breug 's a bharrachd air a sin bha fianaisean eile còmhla ris aig an àm, agus mar sin tha blas na fìrinne air an naidheachd aige. Bhuineadh e do dhuine iomraiteach, Niall MacEachainn eile, a bha an dlùth-chomunn ris a' Phrionnsa Teàrlach agus a chaidh dha'n Fhraing còmhla ris anns a' bhliadhna 1746. B'esan cuideachd athair a' Mharsail Dhòmhnallaich, Diùc Tharanto.

Tha Alasdair MacIlleMhìcheil ag innse dhuinn ann an *Carmina Gadelica*, an dàrna leabhar, mar a thàinig maighdean-mhara air tìr air cladach Bheinn-a-Bhaoghla, agus mar a chaidh a tiodhlaiceadh pìos beag os cionn a' chladaich. Anns an àm aig an d'fhuair MacIlleMhìcheil an naidheachd, bha daoine fhathast beò a chunnaic agus a chuir an làmh air a' chreutair seo. Bha iad ag aithris gu robh an ceann àrd dheth air cumadh pàisde mu thrì no ceithir a bhliadhnachan agus gu h-ìosal sìos bho'n chom air cumadh bradain, ach gun lannan idir air.

Dh'òrdaich Donnchadh Seadha, bàillidh Mhic 'ic Ailein, ciste agus anart dha'n chreutair a bh'ann 's chaidh a thiodhlaiceadh am fianais móran sluaigh. Bha an creideas a' dol an Uibhist, àite sam bith anns an nochdadh a' mhaighdean-mhara, gu robh bàthadh ri tachairt anns a' bhad sin no glé fhaisg air.

Na Sìthichean

Dhèanadh na bha de bheul-aithris an Uibhist mu na sìthichean leabhar dha fhéin, agus fóghnaidh dhomh aon eisimpleir a thoirt seachad mu dheidhinn a' chreideis a bh'ann mu dheidhinn dé an gnè dhaoine no chreutairean a bh'annta. Bha aon naidheachd chumanta mu thimcheall seo 'san eilean a' beantainn ri tùs nan sìthichean.

Bha an t-aingeal uaibhreach ann am Flaitheanas ag agairt gu robh a chumhachd fhéin cho mór ri cumhachd Dhé; agus bho nach fhaigheadh e a thoil fhéin, thuirt e gu falbhadh e 's gun cuireadh e rìoghachd air bonn dha fhéin. An àm a bhith a' dol a-mach an dorus a Flaitheanas thug e dealanaich dheilgneach agus beithir bheumnach a clach-bhuinn an doruis le shàilean. Lean móran ainglean e, gus mu dheireadh an do dh'éigh am Mac, "Athair, Athair, tha a' chathair gus a bhith falamh!" Chaidh an t-òrdugh a thoirt seachad geataichean Fhlaitheanais agus Iutharna a dhùnadh, 's chaidh seo a dhèanamh; na bha stigh bha iad a stigh, 's na bha muigh bha iad a-muigh, ach a' chuid sin a dh'fhàg Flaitheanas agus nach do ràinig Iutharna theich iad dha na tuill 's dha na

h-uaimhean air feadh an t-saoghail, far an robh iad a' còmhnaidh mar na sìthichean.
Nuair a bhiodh dannsa is ceòl aca 'sna sìtheanan bhiodh iad a' seinn:

Chan ann a shìol Adhaimh sinn,
'S chan Abram ar n-athair,
Ach a shìol an aingeil uaibhrich
Chaidh fhuadach a Flaitheas.

Taibhsean is manaidhean

Mar ionnan ris gach ceàrn eile, bha a cuid fhéin aig Uibhist a Deas dhe'n ghnè beòil-aithris seo, agus có sinne airson cur an aghaidh thachartasan mìorbhaileach nach urrainn dhuinn a thuigsinn no breithneachadh nàdurrach a thoirt orra? Fàgaidh mise, a leughadair ionmhainn, do bheachd fhéin agad mu'n chùis; agus mar a thuirt an seanfhacal, "Mas breug thugam na h-aisneisean seo, 's bhreug bhuam iad."

Nuair a chaidh baile-fearainn Pheighinn nan Aoirean a ghearradh suas 'na chroitean anns a' bhliadhna 1907 'se duine còir eile a fhuair a' chroit air a bheil an tigheadas agam fhìn an diugh. Nuair a chuireadh air dòigh seann tobhta a bh'ann gus a' chùis a dhèanamh 'na dachaidh gus an togte tigh-còmhnaidh dòigheil, gu dé bu neònaiche leis an duine seo ach a bhith faicinn chisteachean-laighe a' tighinn a-mach air an dorus. Thachair seo uair is uair, gus mu dheireadh nach b'urrainn dha'n duine bhochd cur suas leis na b'fhaide.

"Chan eil mise," ars' esan, "a' dol a dh'fhuireach an seo idir, gus mo theaghlach uile-gu-léir a bhith marbh romham fhìn."

Chuir e bhuaithe a' chroit, agus 'sann an sin a ghabh mo sheanair, Dòmhnall mac Dhonnchaidh, i. Bha dithis mhac leis 'nan saoir, dà bhràthair m'athar, agus nuair a chaidh an tigh-còmhnaidh anns a bheil mise an diugh a thogail, 'sann 'san t-seann tigh a bhiodh iad a' saorsainneachd. Chan eil cunntas againn cia mheud ciste-laighe a chaidh a dhèanamh 's a thoirt a-mach as an tigh, ach chaidh gu leòr a dhèanamh ann ri mo chuimhne fhìn. Tha an dearbh thigh sin an diugh 'na bhàthaich agam-sa. Tha seanfhacal aca 'sa Bheurla ag ràdh gum bi tachartasan ri tighinn a' tilgeadh an sgàilean roimh-làimh, 's mas fìor sin, faodaidh sinn manaidhean an duine chòir eile a chreidsinn.

A cheart cho neònach ris an naidheachd sin, bha té mu dheidhinn an fhir a fhuair am planca air a' chladach. Nuair a bha e suas thuige chunnaic e am fear eile ga thomhas 'na throighean. Dh'aithnich e am fear a bha a' tomhas a' phlanca, ach mun d'fhuair e bruidhinn ris, chaidh e as an t-sealladh. Thug esan suas am planca gu bàrr a' chladaich co-dhiùbh, agus dh'fhàg e an sin e. Bha am planca 'na laighe bliadhna no dhà 'sa bhad sin, gus an do bhàsaich an dearbh fhear a chunnacas ga thomhas, agus

45

'sann as an dearbh phlanca sin a chaidh bùird na ciste-laighe aige a shàbhadh. Thachair seo ri linn m'athar. A-rithist, có as urrainn breithneachadh a thoirt seachad air a leithid sin?

Tha tachartasan eile ann cuideachd nach urrainn dhuinne breithneachadh a thoirt orra. Cha mhotha as urrainn dhuinn a thuigsinn ciamar a thàinig iad gu tachairt 'sa cheud àite. Faodaidh breithneachadh gu math sìmplidh a bhith air feadhainn aca, ach có as urrainn breithneachadh a thoirt air a seo?

Bha Alasdair Mór 's a bhean 's an teaghlach a' còmhnaidh ann an cùl na Beinne Móire an Uibhist. Dad sam bith a bhiodh a dhìth orra, co-dhiùbh b'e biadh no aodach e, dh'fheumadh iad coiseachd tarsainn na beinne a dh'ionnsaigh a' bhaile ga iarraidh. Cha robh a' fuireach an cùl na beinne ach na coitearan agus cha robh marsanta na b'fhaisge na taobh an iar an eilein, astar ochd no naoi mìle tarsainn monaidh is beinne is garbhlaich. Bha Alasdair an turus seo gun tombaca agus, mar as math a tha fios aig gach fear is té a tha fo bhuaidh a' chleachdaidh chosgail seo, tha cion an tombaca cho doirbh fhulang ri cion a' bhìdh. Dh'fhalbh bean Alasdair gu baile. Chan eil teagamh nach robh goireasan eile a bharrachd air tombaca a dhìth oirre, ach ghrìos esan rithe gun i thighinn co-dhiùbh gun an goireas àraid sin a bheireadh ceò as a' phìob.

Nis, bhiodh e 'na chleachdadh aig bean Alasdair fuireach air uairean aig a' bhaile — an tigh caraid sam bith — nan tigeadh droch fheasgar no nan tigeadh an oidhche oirre. Cha robh e cneasda d'aghaidh a chur air cùl na Beinne Móire ri droch aimsir, gu h-àraid an dorchadas na h-oidhche. Ach thàinig am feasgar a bha seo gu math dona le stoirm is uisge agus, mar a rinn i iomadh uair, dh'fhan i aig baile gus a-màireach feuch am biodh an t-sìde na b'fheàrr. Bha a-nis Alasdair a' tuigsinn glé mhath gun e fuireach an tigh air choireigin a rinn i, ach aig an aon àm bha e gun dad a chuireadh e 'sa phìob. Smaointich e gum b'fheàrr dha falbh, air eagal 's gun tug ise ionnsaigh air tilleadh dhachaidh, dona 's gu robh an oidhche, agus fios math aice cho cearbach 's a bhiodh esan le cion an tombaca. Ma bha i air an rathad a-mach, thachradh i air. Dh'iarr e air a' chloinn fuireach socair, sàmhach a-stigh gus an tilleadh e, agus chuir e aghaidh air a' bhaile. Ach bha an oidhche air leth doirbh le stoirm is uisge agus, làidir, fulangach 's gu robh e, cha deach e fada nuair a b'fheudar dha suidhe sìos air creig feuch am faigheadh e anail agus a sgìos a leigeil dheth. Thug e sùil ri thaobh air a' chreig, agus gu dé a b'iongantaiche leis fhaicinn ach leth-chairteil tombaca 'na laighe air a' chreig ri thaobh. Tha mi cinnteach nach do smaointich e aig an àm dé idir mar a thàinig e gu bhith ann, ach thill Alasdair dhachaidh leis an ulaidh a fhuair e agus tha mi glé chinnteach gu robh ceò math as a' phìob nuair a fhuair e taobh a-stigh an doruis. Thill a bhean an ath latha agus tombaca Alasdair aice, ach cha robh Alasdair còir 'na thaing.

Có as a thàinig an tombaca a fhuair Alasdair air a' chreig? Ma dh'fhàg duine eile ann e le dìochuimhn', chan fhanadh e ann le stoirm na h-oidhche ud, 's cha mhotha na sin a bhiodh e tioram agus comasach a losgadh ann am pìob. 'Se naidheachd fìor gu leòr a tha seo, ach chan eil breithneachadh nàdurra sam bith agam-sa dhuibh oirre.

Mun dealaich mi ris a' chaibideil a tha a' déiligeadh ri beul-aithris an eilein, bu mhath leam naidheachd bheag eile a thoirt am follais. Thug mi iomradh cheana anns an leabhar seo gu robh poidseadh nam breac gu math bitheanta an Uibhist ri linn ar n-athraichean 's ar seanairean, ged nach eil móran dhe'n cheàird sin a' dol an diugh. Ach bha là eil' ann, mar a dh'innseas an naidheachd bheag seo dhuinn.

Nuair a cheannaich an Còirneal Iain Gòrdanach oighreachd Uibhist a Deas, thug e dhachaidh maor as an Eilean Sgitheanach airson a bhith a' gleidheadh an éisg air fadhail Hoghmóir. A' bhliadhna bha seo thàinig an Còirneal dha'n dùthaich agus bha e ag iasgach air an fhadhail agus am maor còmhla ris. Cha robh iad a' faighinn éisg idir, 's cha mhotha na sin a bha iasg ri fhaicinn a' cluich no a' snàmh 'san uisge.

"Well," ars' an Còirneal ris a' mhaor, "b'fheàrr leum gu robh breac air a thilgeadh a-stigh thugam as an fhadhail gun lot dubhain air a dhèanamh air, feuch am faighinn a dhealbh a tharraing a' breabadaich air tìr. An aithne dhuit duine sam bith mun cuairt a dhèanadh an gnìomh sin dhomh? Gu dearbh bhithinn fada 'na chomain."

A-nis, bha aon duine sònraichte a' fuireach 'san nàbachd agus bha gràin mhór aig a' mhaor air. Dh'fheuch e iomadh dòigh roimhe seo air an duine seo a chur as an fhearann ach cha robh a' chùis a' dol idir leis. 'Sann leis cho math 's a bha an duine seo gu glacadh bhreac a bha gràin aig a' mhaor air, ach bha deagh fhios aige gu faigheadh e breac dha'n Chòirneal cho luath 's a ruigeadh e taobh na fadhlach. Bha e ag ràdh ris fhéin, nuair a chitheadh an Còirneal cho math 's a bha an duine àraid seo air bric, gu fògradh e as an fhearann e — an rud a dh'fhairtlich air fhéin a dhèanamh.

Dh'fhalbh am maor a dh'iarraidh an duine seo, dha'm b'ainm Dòmhnall mac Nìll 'ic Dhòmhnaill, agus dh'innis e dha an turus air an robh e. "Ach," ars' esan, "chan eil iasg ri fhaicinn air an fhadhail an diugh idir."

"O," arsa Dòmhnall, "cha robh an fhadhail riamh gun iasg oirre."

Dh'fhalbh Dòmhnall co-dhiùbh còmhla ris a' mhaor 's ràinig iad taobh na fadhlach far an robh an Còirneal Gòrdanach ag iasgach. Ghabh Dòmhnall suas air a shocair fhéin ri taobh na fadhlach, agus e a' sìor shealltainn anns an uisge, gus an do ràinig e aon àite sònraichte a bha e cinnteach nach robh ach ainneamh riamh gun bhreac a bhith 'na laighe ann. Chrom e sìos air a ghlùinean; thruis e suas a mhuilichinn 's chuir e a làmh sìos dha'n uisge agus a-stigh fo chruime boghta.

Cha robh a làmh fada am bogadh nuair a thilg e a-stigh am breac mór brèagha a bha seo chun na blianaig air a chùlaibh. Bha greim aige air air dhos earbaill. Chuir an Còirneal an camara ris a' bhreac fhad 's a bha e fhathast a' leumadaich air a' chnoc agus tharraing e a dhealbh. Ghabh e an sin a-nall far an robh Dòmhnall 's chuir e a làmh air a ghualainn.

"A-nis," ars' esan ris, "as a seo suas, fhad 's a théid agad air a dhèanamh, bidh thusa a' gleidheadh na fadhlach, a chionn cha ghabh i gleidheadh ort. Agus gleidhidh tusa air càch i agus bidh d'fheumalachd fhéin dhe'n iasg agad saor bhuam-sa."

Thug an Còirneal an uair sin am breac dha gus a thoirt leis dhachaidh.

Bha am maor uamhasach mì-thoilichte nuair a chunnaic e cho math 's a chaidh a' chùis do Dhòmhnall, ach cha robh comas aige air a leasachadh. Ach bha Domhnall stéidhichte gu daingeann 'na fhearann riamh bho'n latha sin.

Chan eil móran — ma tha gin idir — de leithidean Dhòmhnaill ri'm faighinn an Uibhist an diugh. B'fheàrr leotha an t-iasg a cheannach bho'n bhan a thigeadh chun an doruis na a dhol chun an dragh a thoirt a fadhail no a locha. Ach 's math a bhith a' cumail cuimhne gu robh leithidean Dhòmhnaill ann.

6   A-measg nam Bodach

Chan eil móran bhodach ri'm faicinn an Uibhist an diugh — 'se sin bodaich mar a bh'ann ri linn ar seanairean. Tha na seann daoine an diugh, fireann is boireann, a' giùlan nam bliadhnachan nas aotruime agus nas sgiobalta na ginealaich nan linn ud. Chan eil teagamh nach eil móran aig an dòigh-beatha ri dhèanamh ris a seo. Bha na seann daoine air an obrachadh cho cruaidh, agus bha barrachd de dh'anacothrom an lorg na h-obrach a bha iad a' dèanamh, seach mar a tha a' tachairt do sheann dhaoine na linn seo. Ach tha eadar-dhealachadh eile ann a tha a cheart cho mór. Bha bodaich ann an Uibhist ri linn ar seanairean, agus eadhon ri linn ar n-athraichean, a bha air leth eirmiseach ann am briathran beòil agus an gearradh cainnte. Bha am freagairt cho fìor dheiseil dhaibh agus gu saoileadh neach gu robh fios roimh-làimh aca air a' chuspair 's air an t-seanchas a bha a' dol a thighinn mu'n coinneamh. Bha na freagairtean seo a' tighinn bhuapa cho nàdurra agus nach b'urrainn do neach sam bith toibheum a ghabhail bhuapa. Chan eil an seòrsa 'nar measg an diugh, agus chanainn gun e ar call fhìn a tha sin. Dh'fhalbh na seann *characters*, mar a theirte 'sa Bheurla riutha, agus cha tàinig dad na b'fheàrr 'nan àite. Tha deagh chuimhn' agam fhìn air cuid dhe na daoine àraid seo, agus bu ghlé thoigh leam a bhith a' cluinntinn bhuillean sgaiteach nan teangannan aca.

'Sann air Snaoiseabhal a bha am bodach a bha stigh 'na thigh fhéin an latha seo, e fhéin 's a theaghlach agus iad ag ithe buntàta. Cha robh annlan aca leis, ach bha iad riaraichte gu leòr nuair a bha am buntàta fhéin aca. Thàinig nàbaidh a-stigh 'san àm, agus mhothaich e gu robh iad ag ithe a' bhuntàta gun annlan. "A Dhia," ars' esan, "chan eil agaibh ach buntàta leis fhéin." "Chan e buntàta leis fhéin a th'ann," ars' am bodach, "ach buntàta leinn fhìn."

Bha a fhreagairt cho deiseil dha'n bhodach agus gu saoileadh duine gu robh fios aige dé na faclan a bha àm fear eile a' dol a labhairt, 's a fhreagairt fhéin deiseil mu choinneamh.

'Sann a Uibhist, mar an ceudna, a bha Niall. Bha esan air leth eirmiseach agus a chuid fhreagairtean a' tighinn bhuaithe cho nàdurra 's gur e toileachas mór a bh'ann a bhith greis 'na sheanchas. Bha e an latha seo anns an eaglais. Nuair a thàinig iad a-mach thàinig caraid dha a-nall a chur fàilt air. "Cha tug mi an aire idir dhuit," ars' an caraid, "a-stigh 'san eaglais."

"O," arsa Niall, "'s math a bheirinn an aire dhomh fhìn."

Anns an tigh-chéilidh

Bha seòltaichean eile ann a bha air móran bhliadhnachan a chur seachad aig muir. Bu mhór na h-iongnaidhean — air an réir fhéin — a chunnaic iad air an cuairtean, agus na cruaidh-chàsan troimh'n tàinig iad. Cha robh sluagh an eilein aig an àm ud cho eòlach air cor agus suidheachadh an t-saoghail fharsaing 's a tha iad an diugh, 's bha na maraichean a' smaointinn gun creideadh iad naidheachd sam bith, do-chreidsinneach 's gum bitheadh i.

Bha am bodach àraid seo — canaidh sinn Seumas Mór ris — bliadhnachan aig muir. Bha e ag innse mar a thàinig iad troimh'n Mhuir Ruaidh. "Agus," ars' Iain ris, "an robh an t-uisge dearg?"

"Cha robh e dìreach," arsa Seumas còir, "ach mar gum biodh tu a' seòladh ann am fuil."

Bha e turus eile ann an stoirm mhóir.

"Bha i cho dona," ars' esan, "agus gum b'fheudar dha'n sgioba air fad a dhol gu h-ìosal. An ceann trì latha, nuair a thàinig a' ghaoth a-nuas 's a stad am bàt' a bhocadaich, dhìrich iad gu h-àrd, agus," ars' esan, "bha i air a cliathaich ann am pàirc mhór thuineapan."

Saoil nach b'e an *tidal wave* i!

Bha Seumas turus eile air bhòids' fhada null gu dùthchannan fad as. Mar a thachradh an còmhnaidh ann an naidheachdan Sheumais, thàinig, mar a chanadh e fhéin, "stoirm bhristeadh nan tighean" orra. Bha duine dubh 'na aonan de sgioba a' bhàta, agus nuair a chiùinich na dùilean 's a sheall iad mun cuairt an deach call sam bith a dhèanamh, cha robh sgeul ac' air an duine dhubh idir. "Agus," ars' Iain 's e ag éisdeachd ri Seumas, "am faca sibh tuilleadh e?"

"O, chunnaic," arsa Seumas Mór. "Fhuair sinn e 'na shuidhe ann an oisean 's e air fàs geal leis an eagal!"

Bha Seumas air aon bhàta, agus bha i cho mór agus gun ann le baighseagail a bhiodh iad a' siubhal o cheann gu ceann dhith. Bha càr beag aig an sgiobair is bhiodh e sìos is suas an deic leis mar gum biodh e air sràid a' bhaile.

Ach cha robh bàta Sheumais cho mór ris a' bhàta-sheòl a bha Dòmhnall còir ag innse mu deidhinn. Coltach ri Seumas, chuir Dòmhnall iomadh cuairt air an t-saoghal, agus mura toireadh e bàrr-urraim air Seumas cha robh e mìr air dheireadh air ann an aisneisean mara.

"A' cheud bhàta-sheòl, "arsa Dòmhnall, "a chaidh sìos an Cuan Sgìth, bha i cho mór 's gu robh an cuan sin ro ao-domhain dhi. B'fheudar tòiseachadh air a h-aotromachadh, agus a' cheud chlach dhe'n bhalaist' a thilg iad a-mach 'se Eilean Chanaidh!"

B'iongantach agus bu torrach am mac-meanmna a bh'aig na fearaibh ud, agus ged nach creideadh móran an cuid seanchais, bha brod na cur seachad ùine ann a bhith ag éisdeachd riutha, 's gach naidheachd a' toirt bàrr-urraim air an t'éile le do-chreidsinneachd.

Bha bodaich ann a bha iomraiteach ann an innse naidheachdan éibhinn a bheireadh gàir' ort. 'Sann aig Eairdsidh a chuala mi an té mu'n Eirisgeach a chunnaic an t-eun mór.

"Nochd an t-eun anns a' mhadainn," ars' an t-Eirisgeach, "agus leis a' mheudachd a bh'ann, 'sann am beul na h-oidhche a chaidh an t-earball aige as an t-sealladh."

"An t-Agh," ars' an t-Uibhisteach a bha ag éisdeachd ris, "nuair a chaidh sinne air tìr ann an eilean 'sa *Phacific*, chunnaic sinn ugh air a' chladach, agus leis a' mheudachd a bh'ann dh'fhairtlich air sianar againn car a chur dheth no a ghluasad bho'n làr."

"Gabh romhad," ars' an t-Eirisgeach, "'s nach robh eun riamh ann a bheireadh a leithid sin de dh'ugh."

"Chan fhaod a bhith," ars' an t-Uibhisteach, "nach beireadh an t-eun mór a chunnaic thu fhéin e!"

Bha Iain Dubh cho math air na naidheachdan 's a chuala mi riamh. Ged a bhiodh feadhainn dhiubh doirbh an creidsinn, agus cuid dhiubh nach gabhadh creidsinn, cha robh sin a' lagachadh cumhachd agus buaidh nan sgeulachdan air inntinn a luchd-éisdeachd. Ged a bhitheadh fios is cinnt agad gur ann ann an eanchainn Iain chòir fhéin a chaidh móran dhiubh a chur ri chéile, bhiodh do thoileachas agus d'ùidh gan éisdeachd a cheart cho mór agus ged a b'i an t-uil'-fhìrinn a bh'annta. Ach có an sgeula no an naidheachd dhe'n t-seòrsa anns am faigh thu an fhìrinn gu léir? Cha bhiodh cuid dhiubh ach gu math tioram as aonais sgeadachadh beag a bharrachd a chur riutha. Bha Iain Dubh cho math gus sin a dhèanamh ri fear eile dhe linn. Bu mhór an call nach deach barrachd dhe na naidheachdan éibhinn aige a chur an clò, far an cuireadh barrachd de luchd Gàidhlig eòlas orra, ged a bha iad aithnichte gu leòr do mhuinntir Uibhist. Seo té de naidheachdan éibhinn Iain Duibh.

Bha an dithis a bha seo a' gabhail turuis anns an trèan eadar Glaschu 's an Gearasdan, fireannach agus boireannach. Bha measan beag de chuilean aice-se agus bha esan, am fireannach, a' sìor smocadh. Air réir choltais, cha robh ceò an tombaca a' tighinn ri càil na leadaidh, agus 'sann a spìon i a' phìob a beul an duine bhochd 's a thilg i mach air uinneig na trèan i. Leis an fheirg a ghabh esan le call na pìoba ('s gun e 's dòcha ach air a faighinn as ùr an Glaschu), thug e spìonadh air cuilean na caillich 's thilg e mach air an uinneig as deaghaidh na pìoba e.

"Ach cha b'e sin," ars' Iain, "deireadh na sgeòil idir. Nuair a ràinig an trèan an ath stèisean, Drochaid Spiothainn, có bha a' trotan 'nan coinneamh a-nuas am *platform* ach an cuilean . . . agus a' phìob 'na bheul!"

Bha naidheachd fìor éibhinn eile aig Iain a bu thoigh leam a thoirt am follais. Thug i mach iomadh gàire 'nam òige fhìn. Cha robh Iain còir, cleas nam maraichean, a' feuchainn ri fìrinn a dhèanamh dhe sheanchas idir. 'Sann a bha 'na shealladh toileachas a thoirt do dhaoine, 's gabhadh iad mar bhreug no fìrinn e. Agus air mo shon fhìn dheth, 's iomadh toileachadh is togail-inntinn a fhuair mi bho bhith greis ag éisdeachd ris. Seo an naidheachd.

Bha am boireannach àraid a bha seo ann uaireigin agus bhiodh i daonnan a' dèanamh ime. Bhiodh i a' reic an ime, ach leis nach biodh an t-ìm uile-gu-léir glan gu leòr, cha robh i a' faotainn mar dhuais air a shon ach sia sgillinn am punnd. Chomhairlich banacharaid dhi aon latha gu robh còir aice, an ath turus a bhiodh i a' dèanamh an ime, a h-uile stiall aodaich a bh'oirre a chur dhith, i fhéin a nighe 's a ghlanadh gu math, agus an uair sin an t-ìm a dhèanamh 's i dearg rùisgte. Agus 'sann mar seo a bha.

Rùisg a' chailleach (mas e cailleach a bh'innte) i fhéin agus thòisich i air dèanamh an ime. Thàinig a' bhanacharaid le dithis no triùir eile a dh'fhaicinn dé cho glan 's a bhiodh an t-ìm an turus seo. Chaidh cùisean air adhart fìor mhath, agus bha an t-ìm aice ann an tuba mór fiodh 's e cho glan 's cho ciatach 's a dh'iarradh duine. Bu chinnteach gu faigheadh i tasdan am punnd an turus seo. Ach gu mì-fhortanach, an àm dhi bhith a' tighinn seachad air an tub' ime, thàinig tuisleadh air choireigin oirre agus siud sìos air a tòin dha'n tub' ime a bha i. Dh'éirich i 's coltas mì-thoilicht' oirre, 's thòisich i air sgrìobadh an ime far a màsan, agus aig an aon àm ag éigheach, "Same old price — sixpence a pound!"

Bha bodaich eile an Uibhist aig an robh alt àraid air speuradh. Bha seo, mar a bha na freagairtean geura, a' tighinn cho nàdurra bhuapa agus gun ann a chitheadh duine neònach e mura cluinneadh e rannadhail speuraidhean thall 's a-bhos air feadh an seanchais.

A-nis, bha e 'na chleachdadh aig seann daoine uaireigin, an àm tòiseachadh ri treabhadh, na h-eich 's an acfhuinn a bheannachadh le bhith crathadh uisge coisrigte orra. Bha seo fìor cuideachd mu obraichean eile, ach 'sann ri toiseach treabhaidh a bha am bodach còir a bha seo a' dèanamh an dleasdanais beannachaidh. Bha am bodach àraid a bh'ann iomraiteach gu speuradh, agus cha robh a mhac, a bha an deaghaidh na h-eich a bheairteachadh 'sa chrann, dad air dheireadh air anns an t-seagh sin. Bha nàdur sgeunach, fiadhaich aig na h-eich iad fhéin, gu h-àraid ma bha dad sam bith a' tighinn gun fhios orra, mar a thachair nuair a fhuair iad steall de dh'uisge coisrigte a' bhodaich. Bha am bodach 'na sheasamh, a cheann-adach 'na làimh, 's e air an steall ud a thilgeil mu na h-eich, nuair a thug na beathaichean truagha na buinn dhi 's an crann 's an acfhuinn a' gliogadaich mu'n casan, a' fàgail an fhir òig 'na sheasamh le pìos anns gach làimh.

"An ainm an Athar 's a' Mhic 's an Spioraid Naoimh," ars' am bodach.

"An ainm an aoin Diabhail mhóir a th'ann an Ifrinn," ars' a mhac, "thoir an tigh dhachaidh ort, thu fhéin 's an Spiorad Naomh 's an t-uisge coisrigte. Nach fhaic thu dé rinn thu air na h-eich." Thill am bodach còir chun an tighe, 's cha chuala mi an tàinig an t-uisge coisrigte a-mach toiseach treabhaidh na h-ath-bhliadhna.

53

Cha robh Iain Beag e fhéin fad air deireadh air bodach nan each ann an càs nan speuraidhean. Bha Iain a' fuireach faisg air an eaglais, agus aig an àm a bh'ann bha lagh ùr air tighinn a-mach gu feumadh duine a dhol gu éisdeachd chun an t-sagairt uair 'sa mhìos an àite uair 'sa bhliadhna an car bu lugha, mar a bh'air a chleachdadh roimhe sin. Thàinig an sagart an latha bha seo far an robh Iain Beag. "An robh sib' fhéin ag éisdeachd air a' mhìos seo, Iain?" ars' esan.

"A Dhia seall orm, Athair, cha robh," ars' Iain. "Chan eil ach trì mìosan bho'n a bha mise roimhe ann. Eisdeachd an Diabhail tha sin, 's dòch gu fóghnadh beagan dheth!"

Cha robh Dòmhnall e fhéin gun taghadh a speuraidh air a theangaidh nuair a thigeadh dad cabhagach 'na rathad. Bha e an latha seo a' spealadh feòir, agus bho nach robh e àraid math air faobhar a chur air an speal, bha dà chloich-speal aige, té bhàn bhog agus té chruaidh dhorcha. Bha na clachan-speal aige fo shràc feòir faisg air far am biodh e ag obair. Thàinig coimhearsnach dha, Aonghas Beag, far an robh e agus thòisich e ri rudeigin innse dha. Nis, bha stad is ruith ann am bruidhinn Aonghais, agus bhiodh e a' breabadh 's ag obair le chasan nuair nach fhaigheadh e na faclan a-mach cho siùbhlach 's bu mhath leis. Bha Aonghas a' stàrachd 's a' stampadh, 's bha Dòmhnall ga fhaicinn a' dol ro ghoirid dha na clachan-speal. Mu dheireadh dh'éigh e:

"A Mhic na fuar ghalla, 'n ann a' dol a bhristeadh mo chlachan a tha thu?"

Bu tric a bhiodht' a' dèanamh fealla-dhà air bodaich — is cailleachan cuideachd — aig nach robh móran Beurla, ach a dh'ùisnicheadh am beagan a bh'aca gu math bragail. Bha Niall Beag ag innse do shagart Bhòrnais mu'n stuth a fhuair e bho'n *chemist* airson "rumatas."

"Bha e dìreach *pure*," ars' esan, "mar a thàinig e mach as an *lavatory*."

Bha Aonghas a' leughadh an *Stornoway Gazette*. Chunnaic e ann an litrichean móra air ceann àrd duilleig na faclan *"Gaels in Glasgow".*

"Gèilichean móra ac' an Glaschu," ars' esan.

Saoilidh mi gun ann a Uibhist cuideachd a bha am bodach a sgrìobh litir gu marsanta an Glaschu ag iarraidh deise aodaich. Nuair a bha i sgrìobhte, shìn e dha'n mhaighstir-sgoile i feuch an robh i math gu leòr.

"O, Thighearna," ars' am fear sin, "chan eil duine sam bith a thuigeas a' Bheurla sin."

"O," ars' am bodach, "tha deagh Bheurl' aig muinntir Ghlaschu!"

Chan urrainn mi m'fhacal a thoirt có an t-eilean as an robh an té a sgrìobh an litir gu Ogg Brothers an Glaschu a dh'iarraidh deise do ghille beag. Air réir na naidheachd, dh'iarr na marsantan còire sin cead air a' bhan-sgrìobhaiche an litir a thoirt am follais anns a' phàipear-naidheachd agus gun toireadh iad dhi an deise an asgaidh. Thug ise seachad a cead, agus fhuair i an deise. Nochd an litir anns a' phàipear, agus seo mar a bha i air a cur sìos:

Dear Mr Og and Brothers, Sur,
Cent me a suet for a boy for school, big boy for country ware. I cent you the long of his back and a pound and if she is not as dear as the pound cent back to me the more in stamps.

Cha robh an ionnsaigh a thug an t-seana-bhean chòir cho dona agus, ged nach robh a' chànan choimheach Bheurla aice cho fileanta, tha mi gu math cinnteach gu robh smior na Gàidhlig aice, agus tuigse agus buaidhean inntinn air a réir.

Mar a b'ionnann dha'n té'ile a bha 'na searbhanta aig sagart ann an Uibhist. Thachair gu robh an t-Easbaig a' tighinn dha'n eaglais an latha àraid seo; agus, mar a thuigear, bha ullachadh mór ga dhèanamh air a choinneamh. Bha caoraich gu leòr aig an t-sagart agus bha na creutairean sin, mar as dual dhaibh, a' dol dha gach àite nach robh còir aca ann, agus an latha seo bha deannan math dhiubh am broinn gàradh na h-eaglaise. "Falbh," ars' an sagart ris an t-searbhanta, "agus fuadaich a-mach na caoraich mun tig an t-Easbaig." "An t-Agh," ars' ise, "'s iomadh fear bu lugha bata na e fhéin a dh'fhaodadh am fuadach!"

Bha sagart eile ann am Bòrnais uair agus bha e seachd sgìth a' tighinn a dh'ionnsaigh an duine àraid a bha seo a chur na h-ola dheireannaich air — ola roimh bhàs. Bha am bodach tinn fad cunntas bhliadhnachan, agus cha robh seachdain — air a réir fhéin — nach robh e a' bàsachadh. Chuireadh a dh'iarraidh an t-sagairt an turus a bha seo, agus, bàs ann no as, dh'fheumadh an sagart a' ghairm a fhreagairt.

Nuair a bha e a' falbh as an tigh, thàinig ban-nàbaidh dha'n fhear a bha ri uchd bàis a-mach 'na choinneamh.

"O, athair," ars' ise, "an do rug sibh beò air an duine bhochd?"

"Ho, ho," ars' an sagart, "tha e gun a dhol dha'n cholaisde fhathast am fear a chuireas an ola mu dheireadh air!"

Bha seann sagart eile a' fuireach ann an t-Hoghmór cunntas math bhliadhnachan air ais. Bha e air leth eirmiseach agus bu toigh leis a bhith tarraing a feadhainn eile. Bha Ruairidh Mór a' fuireach faisg air, deagh sgoilear a thug àireamh mhath bhliadhnachan 'san Arm. Thachair iad ri chéile an latha seo agus bha an sagart airson tarraing a Ruairidh.

"Nach neònach," ars' esan, "do leithid fhéin de dheagh sgoilear, a Ruairidh, a thug uiread seo de bhliadhnachan 'san Arm, agus nach d'fhuair thu riamh os cionn *Private*."

Ach cha robh Ruairidh còir gu bhith air a bheiteadh. "Nach eil e cheart cho neònach," ars' esan, "gu bheil trì fichead bliadhna bho'n a rinneadh sagart dhib' fhéin, agus feadhainn nach robh ach anns na badain an uair sin, tha iad an diugh 'nan *Cardinals*!"

Bha duine àraid eile ann an t-Hoghmór agus bha e iomraiteach mar chleasaiche gus a bhith a' tarraing as na bodaich. Bha bodach còir faisg air a bha gu math trom air an tombaca agus cho gann is gu robh an t-airgead

55

cha bhiodh e uair sam bith gun a' phiob a' ceòthadh 'na bheul. Cha robh 'san tigh còmhla ris ach a bhean, seann bhean chòir, a chunntadh na sgillinnean gu math dlùth mun cosgadh i iad air dad cho beag feum ri tombaca. Thàinig Ailig an oidhche seo a thigh a' bhodaich agus, mar bu dual, bha an seann duine bochd 'na shuidhe ri taobh an teine agus ceò math as a' phìob. Bha an t-seann bhean air taobh eile an teine 's am bata fo h-uchd. Thòisich Ailig còir air cunntais a-mach — air réir prìs an leth-chairteil tombaca — na bha am bodach a' cosg anns a' bhliadhna air an stuth gun fheum seo.

Bha ise ag éisdeachd gu mionaideach, agus nuair a chual' i an t-suim a bha a' dol a-mach ann an ceannach thombaca, leum a nàdur agus thàinig i mun cuairt leis a' bhata 's rinn i sprùilleach dhe'n phìob chreadha a bha am beul a' bhodaich. Mun tigeadh an trod gu buillean thug Ailig còir a chasan leis, ach faodaidh sinn a bhith cinnteach nach b'fhada gus an do chuir am bodach té'ile an àite na pìoba a chaidh a bhristeadh air cho ealamh.

Bhiodh Ailig an còmhnaidh a' dèanamh spòrs air Eóghainn, seann duine còir eile a mhuinntir Hoghmóir. Chaidh iad an turus seo a-stigh dha'n eaglais agus air réir choltais bha an eaglais làn; cha robh àite-suidhe falamh ri fhaicinn taobh seach taobh. Choisich Eóghainn còir suas troimh'n eaglais a' sealltainn thall 's a-bhos feuch an robh àite air ceann a-muigh suidheachain anns am faigheadh e lùbadh sìos, ach bha Ailig air a chùlaibh agus gach turus a bhiodh Eóghainn a' dol a shuidhe, bheireadh Ailig putag dha 's chanadh e ris fo anail, "Cum suas, Eóghainn." Mu dheireadh ràinig iad an suidheachan a b'fhaide shuas, agus bha oisean air an fhear sin anns an do lùb Ailig e fhéin a-stigh, ach aig an aon àm a' toirt putag beag do dh'Eóghainn agus ag ràdh, "Cum suas, Eóghainn." Thug Eóghainn bochd fainear nan cumadh e suas na b'fhaide gum biodh e shuas air an altair còmhla ris an t-sagart, agus thionndaidh e mun cuairt, aghaidh air a' choimhthional 's e ag éigheach le guth gu math crosda, "Càit a bheil Eóghainn a' dol?"

Faodar a bhith cinnteach nach deach móran ùrnaigh a ghabhail 'san eaglais an latha ud.

Bha bodaich shònraichte eile an Uibhist a bha daonnan deònach a bhith a' frithealadh an tighe-chéilidh ach, le sgìos an latha roimhe, measgaichte ri blàths teine mór mònadh an tighe-chéilidh, a dhèanadh norragan matha cadail am feadh 's a bhiodh an seanchas a' dol air adhart. B'ann dhiubh seo a bha Dòmhnall, bodach còir nach fhanadh oidhche gun nochdadh do thigh-céilidh air choireigin, fliuch no tioram an aimsir. Bha Dòmhnall an oidhche àraid seo air chéilidh mar a b'àbhaist dha agus, nuair a dh'fhàs an tigh blàth 's bean an tighe a' cumail fàd math air an teine, thuit ceann Dhòmhnaill sìos air uchd agus tharraing e srann réidh na trom-shuain. A-nis, thachair, nuair a chaidil Dòmhnall, gu robh an seanchas mu thimcheall chruidh, agus mu dheidhinn duine àraid 'san sgìre a cheannaich mart. Fhad 's a bha e 'na chadal, dh'atharraich an seanchas gu fiodh a bha a' tighinn air tìr air a' chladach, agus bha fear an tighe ag innse mu shail mhóir dharaich a fhuair e fhéin lathaichean roimhe sin.

"Bha i cho mór ri té dhe'n t-seòrsa a chunnaic mi riamh," ars' esan. B'ann aig a' mhionaid sin a dhùisg Dòmhnall, agus bha e dhe'n bheachd gur ann air a' mhart a bha am fear eile fhathast a' bruidhinn. Thog e a cheann bhàrr uchd. "An robh laogh innte?" ars' esan.

Seann daoine còire air fad. Daoine a dhèanadh spòrs is dibhearsain agus air am faigheadh duin' eile spòrs is dibhearsain mar an ceudna. Chan eil duine dhiubh 'san làthaireachd an diugh agus 'se ar call-ne a tha sin. An cuid de Phàrras dha gach aon dhiubh.

7 A' Crìochnachadh

Bho'n a chaidh a' cheud chuid dhe'n leabhar seo a sgrìobhadh, tha beòthalachd ùr làidir ga nochdadh fhéin an Uibhist a Deas an dòigh no dhà. Anns a' chaibideil air dòigh-beatha 's teachd-an-tìr bha mi a' gearain cho beag 's a bha de dh'àiteachean-cluiche — tallachan 's an leithid sin — anns an eilean airson na h-òigridh. Tha mi toilichte a ràdh a-nis gu bheil talla co-chomunnail air a togail an ceann a tuath an eilein — 'se sin 'san Iochdar, 's tha a thaing sin air comunn-sgìre an Iochdair fhéin. Ceum beag, 's dòcha, ach ceum mór ann a bhith a' cur dreach nas taitniche air caitheamh-beatha shóisealta na h-òigridh.

Chaidh tigh-òsda ùr Bhorodail fhosgladh ann an Dalabrog, agus ged 's dòcha gun can feadhainn nach ann gu math an t-sluaigh a tha tigh-òsda sam bith, cha téid mi leis an dòigh-smaointinn sin idir. Tha feum air na h-àiteachean seo, chan ann idir mar àiteachean-òil a-mhàin ach cuideachd mar thighean bìdh is cadail. 'Se adhartas feumail a tha seo, agus ghabhadh an t-eilean àite-bìdh no dhà eile a bharrachd air.

Ach tha comharran eile gan sealltainn fhéin cuideachd nach urrainn dhuinn breithneachadh a thoirt co-dhiùbh as ann gu cron no gu buann-achd a bhios iad. Tha factoraidh na feamainn (Alginate Industries) am Baghasdal air dùnadh. Tha an t-Arm ag iarraidh tuilleadh fearainn air machaire Bhòrnais. An ann an co-cheangal ris an leudachadh Uibhist-each a tha an Riaghaltas ag iarraidh leudachadh air port-adhair Steòr-nabhaigh? An ann ag obrachadh fo na mùgan a tha na h-àrd-urrachan a th'air ceann N.A.T.O.? Sin ceistean nach urrainn dhuinne fhuasgladh ach a dh'fhaodas gach Uibhisteach fhaighneachd dheth fhéin an diugh.

Ged nach eil Uibhist a Deas — no air a shon sin aon eile dhe na h-Eileanan an Iar — neo-atharraichte, 's neo-mhillte 'na staid nàdurra anns an t-seagh 's nach eil buaidh mhór aig adhartas na ficheadaimh linn oirre, gheibhear maise nàduir neo-thruaillte a' cumail cridhe is ceum làidir ris gach adhartas is atharrachadh a thug an linn niuclasach air a h-aghaidh bho chionn cunntas bhliadhnachan.

Ged as ann lom, aognaidh a sheallas e anns a' gheamhradh — fosgailte, neo-fhasgach bho stoirmean cumhachdach a' Chuain an Iar — nuair a thilleas an samhradh tha an t-eilean, mar gum bitheadh, ga sgeadachadh fhéin ann an trusgan ùr. Atharraichidh fraoch a' mhonaidh a dhath gu trom-uaine le cìrean de ghucagan geala is purpaidh, 's théid machraichean an taoibh an iar am falach fo bhrat dhe gach seòrsa dìthein ioma-dhathaich. Deàrrsaidh na mìltean de thràighean geala gainmhchea

Machaire Pheighinn nan Aoirean

ann an soillse na gréine, agus measgaichidh dathan gorma is uaine an t-sàile 'na chéile mar bhogha-frois ann an cùl fras foghair.

Ach cha chum àilleachd maise nàduir 'san t-samhradh cosnadh is tighinn-beò ri sluagh àite sam bith. Cha mhotha a chumas e an òigridh aig an dachaidhean. Tha beàrnan móra ri'n dùnadh fhathast ann an cùisean foghluim. Tha e buileach riatanach dha na h-Uibhistean 's do Bharraidh gum biodh an sgoil mhór shia bliadhna air a togail an Lianaclait am Beinn-a-Bhaoghla. Tha Comhairle nan Eilean a' dèanamh an uile dhìcheall gus seo fhaighinn dèanta, ach tha an t-sreang dùinte gu math teann air sporan an Riaghaltais anns a' chàs seo, ged a ghabhas e fosgladh gu math farsaing ma bhios leudachadh ri chur ri ionad nan rocaid.

Saoilidh mi gu bheil cùisean a' sealltainn nas gealltanaiche dha'n eilean bho'n a chaidh Riaghaltas Ionadail a stéidheachadh an Steòrnabhagh: na h-eileanan air an riaghladh le eileanaich. Bidh sinn a' guidhe gur ann a' sìor mheudachadh a bhitheas an t-adhartas — chan ann a-mhàin an Uibhist, ach anns na h-Eileanan an Iar gu léir — anns na bliadhnachan a th'air thoiseach oirnn.

Appendix 1

Dòmhnallaich Chlann Raghnaill

1372   Raghnall, dàrna mac Iain 'ic Aonghais Oig, Tighearna nan Eilean, bho Aimi, nighean Ruairidh 'ic Ruairidh Gharbh-morain. Fhuair e fearann a mhàthar ann am Mùideart, Arasaig is Mòrair agus Cnòideart, Eige, Rùm, Uibhist is Na Hearadh bho athair. B'esan ceud triath Chlann Raghnaill.

1386   Bhàsaich Raghnall 's thàinig a mhac Ailean dligheach mar dhàrna triath Chlann Raghnaill is Mhùideart.

1419   Bhàsaich Ailean is b'e a mhac Ruairidh treas triath Chlann Raghnaill is Mhùideart. Phòs e Mairead, nighean do Dhòmhnall Ballach a Ile.

1481   Bhàsaich Ruairidh, is 'na àite thàinig Ailean mar cheathramh triath Chlann Raghnaill is Mhùideart. Phòs e Floireans, nighean Dhòmhnaill MhicIain a Aird nam Murchan, is bha dithis ghillean aige bhuaipe — Raghnall Bàn is Alasdair. Bho'n dàrna bean bha Raghnall Gallda aige.

1509   Chuireadh Ailean gu bàs aig Blàr Athaill, is thàinig Raghnall Bàn, a mhac, dligheach mar chóigeamh triath Chlann Raghnaill is Mhùideart. Phòs Raghnall nighean le Ruairidh Dubh MacLeòid is bha dithis chloinne aige, Dùghall is Catrìona.

1513   Chaidh Raghnall Bàn a chur gu bàs am fianais Rìgh Seumas am Peairt, is thàinig a mhac Dùghall mac Raghnaill dligheach mar shiathamh triath Chlann Raghnaill is Mhùideart.

1520   Chaidh Dùghall a chur gu bàs leis a' chinneadh a thaobh a chiontan, is thàinig Alasdair, bràthair athar, dligheach ged a bha clann òg aig Dùghall. B'e Alasdair seachdamh triath Chlann Raghnaill is Mhùideart. Bha mac aige, Iain Mùideartach, bho Dorothy, nighean le fear de thuath Cheann Loch Mùideart.

1530   Bhàsaich Alasdair is thàinig a mhac, Iain Mùideartach, dligheach mar ochdamh triath Chlann Raghnaill is Mhùideart. Phòs e Mairead NicIain a Aird nam Murchan, is bha mac aca, Ailean. Anns a' bhliadhna 1540 chuir an Crùn an greim e an Dùn Eideann, agus thug MacShimidh, Triath nam Frisealach, le cuideachadh bho'n Chrùn, làmh-an-uachdair air Mùideart agus shuidhich e Raghnall Gallda an Caisteal Tioram.

1544 Theich Iain Mùideartach a Dùn Eideann. Chuir e Raghnall Gallda a-mach a Caisteal Tioram is mharbh e e aig Blàr Loch Lòchaidh. Chaidh MacShimidh is a mhac, Uisdean, a mharbhadh aig a' bhlàr seo cuideachd. Thàinig Ailean, a mhac, dligheach air Iain. Phòs esan nighean le Alasdair Crotach MacLeòid is bha dithis mhac aca, Dòmhnall agus Raghnall. B'e Raghnall a' cheud mheur de theaghlach Bheinn-a-Bhaoghla.

1593 Bhàsaich Ailean is thàinig Dòmhnall, an dàrna mac, dligheach air mar dheicheamh triath Chlann Raghnaill is Mhùideart. Chaidh inbhe Ridire a bhuileachadh air le Rìgh Seumas VI. Phòs e Màiri, nighean le fear Aonghas MacDhòmhnaill.

1601 Chaidh MacNèill Bharraidh fhògradh a Baghasdal, an Uibhist a Deas, le triath Chlann Raghnaill is fhuair e dearbhadh air a chòir air Baghasdal bho'n Chrùn ann an 1602.

1619 Bhàsaich Dòmhnall is thàinig a mhac, Iain, dligheach mar aona triath deug Chlann Raghnaill is Mhùideart. Anns a' bhliadhna 1613 phòs e Mór, nighean Ruairidh, triath nan Leòdach. Leathase fhuair e tochradh de bhàta shia ràmh air fhichead uile-dheasaichte, agus ceud is ceithir fichead ceann cruidh. 'Se an teaghlach a bh'aca Dòmhnall, a thàinig dligheach air athair; Mór, a phòs Lachlainn MacGhillEathain Cholla; Catrìona, a phòs MacNèill Bharraidh; agus Anna, a phòs mac bràthar a h-athar, Raghnall Og Bheinn-a-Bhaoghla. B'e Raghnall Og seo athair Dhòmhnaill a thàinig dligheach 'na thriath ann an 1725, nuair a ruith freumhag fhireann Iain a-mach.

1670 Bhàsaich Iain an Eirisgeidh is chaidh a thiodhlaiceadh an t-Hoghmór. Thàinig a mhac, Dòmhnall, dligheach mar dhàrna triath deug Chlann Raghnaill is Mhùideart. Phòs e Mór, nighean triath nan Leòdach. B'e a theaghlach-san Ailean, a thàinig dligheach air; Raghnall, a thàinig dligheach air Ailean; agus Mairead, a phòs Dòmhnall an treasamh air Beinn-a-Bhaoghla, a thàinig a-stigh mar an cóigeamh triath deug 'sa bhliadhna 1725.

1715 Chaidh Ailean a mharbhadh aig Blàr Sliabh an t-Siorraim is chaidh an caisteal aige ann an Ormaclait 'na theine an oidhche sin. Chaidh an teaghlach an sin air thigheadas do Bhaile nan Cailleach am Beinn-a-Bhaoghla. Cha do dh'fhàg Ailean oighre idir, is thàinig a bhràthair Raghnall, a bh'anns an Fhraing, dligheach air mar an ceathramh triath deug. Bhàsaich Raghnall ann an St Germains 's e gun phòsadh idir.

1725 Thàinig Dòmhnall, mac Raghnaill Oig Bheinn-a-Bhaoghla, dligheach mar chóigeamh triath deug Chlann Raghnaill is an treas fear air Beinn-a-Bhaoghla. Mar cheud bhean phòs e Mairead, nighean Dhòmhnaill an dàrna triath deug, agus bha mac aca, Raghnall, a thàinig dligheach air. Phòs e an dàrna bean, Mairead nighean Sheòrais MhicCoinnich Chill Duinn, agus bhuaipe-se bha Alasdair aige, a' cheud fhear de theaghlach Bhaghasdail.

1730   Bhàsaich Dòmhnall is thàinig Raghnall, a mhac bho'n cheud bhean, dligheach mar shiathamh triath deug Chlann Raghnaill is an ceathramh air Beinn-a-Bhaoghla. Cha do ghabh e pàirt sam bith ann an cogadh a' Phrionnsa.

1753   Bhàsaich Raghnall is thàinig a mhac Raghnall dligheach mar sheachdamh triath deug Chlann Raghnaill is an cóigeamh air Beinn-a-Bhaoghla. Bha esan roimhe seo a-mach ann an cogadh a' Phrionnsa. Fhuair e oileanachadh ann an St Germains agus b'e a cheud bhean Màiri, piuthar de dh'Iarla Selkirk. Bha mac aca, ach bhàsaich e 'na leanabh. B'e an dàrna bean aige Flòraidh, nighean Iain MhicFhionghain, is bha mac aca, Iain.

1778   Bhàsaich Raghnall is thàinig a mhac Iain dligheach mar ochdamh triath deug Chlann Raghnaill agus an siathamh air Beinn-a-Bhaoghla. Bha Iain 'na chaiptean anns na 22nd Dragoons. Phòs e Catrìona, nighean an Rt. Hon. Raibeart MacCuinn Braxfield, agus bhuaipe-se bha mac aige, Reginald Seòras. Phòs e an dàrna uair nighean bràthar athar, Sìne, nighean Chailein Bhaghasdail.

1794   Bhàsaich Iain agus thàinig Reginald Seòras dligheach mar naoidheamh triath deug Chlann Raghnaill agus an seachdamh air Beinn-a-Bhaoghla. Anns a' bhliadhna 1812 phòs e a' bhean-uasal Caroline Anna Edgcumbe, nighean Richard, dàrna Iarla Mount Edgcumbe. B'iad seo an teaghlach aca:

1   Reginald Iain Seumas Seòras.
2   Caroline Sophia, a phòs Teàrlach Cust, mac Iain, ceud Iarla Bhrownlow, ann an 1842.
3   Emma Hamilla, a phòs an t-Urramach Alfred Wodehouse, mac Iain, Tighearna Wodehouse, ann an 1840.
4   Louisa Emily, a bha pòsda dà thurus — an toiseach aig Teàrlach Uilleam Marshall, mac Raibeirt Marshall a Stratton Strawless; an dàrna turus an 1856 aig a' Chòirneal Uisdean Fitz-Roy.
5   Flòraidh, a bha 'na maighdean-frithealaidh aig a' Bhan-rìgh.
6   Sara Anna, a phòs fear a Sicily.

Bha dithis mhnathan eile aig Reginald Seòras, an dàrna té Anna Chonaigean, agus an treas té Ealasaid Rebecca Newman.

1873   Bhàsaich Reginald Seòras, aig aois 84, is thàinig a mhac, Vice-Admiral Sir Reginald Iain Seumas Seòras MacDhòmhnaill KCSI RN dligheach mar am ficheadamh triath air Clann Raghnaill.

Ann an 1855 phòs e a' bhean-uasal Adelaide Louisa, dàrna nighean Sheòrais, cóigeamh Tighearna Vernon. B'iad seo an teaghlach aca-san:
1 Ailean Dùbhghlas, a rugadh 'sa Ghiblean, 1856.
2 Aonghas Ruairidh, a rugadh 'sa Ghiblean, 1858.
3 Adelaide Effrida.
B'e Reginald Seòras, athair an Admiral, a reic Uibhist a Deas ris a' Chòirneal Ghòrdanach ann an 1841.

Appendix 2

Aireamh sluagh Uibhist a Deas bho 1801 gu 1971*

1801	4,595
1811	4,825
1821	6,038
1831	6,890
1841	7,327
1851	6,173
1861	5,346
1871	5,749
1881	6,063
1891	5,821
1901	5,490
1911	5,383
1921	4,839
1931	4,236
1951	3,765
1961	3,995**
1971	3,799

* Tha seo a' gabhail a-stigh Bheinn-a-Bhaoghla agus nan eileanan beaga timcheall cuideachd.
** Bha seo an deaghaidh do luchd-obrach ionad nan rocaid tighinn a-stigh.